Coco Días
o
La Puerta Dorada

BRINA SVIT

Coco Días

o

La Puerta Dorada

Traducción de
ARIEL DILON

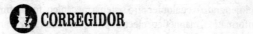

Svit, Brina
    Coco Dias o La puerta dorada. - 1a ed. - Buenos Aires :
Corregidor, 2009.
    192 p. ; 20x14 cm.

    Traducido por: Ariel Dilon
    ISBN 978-950-05-1858-1

    1. Narrativa Eslovena. 2. Novela. I. Dilon, Ariel, trad. II. Título
    CDD 891.843

Diseño y fotografía de tapa: Ezequiel Cafaro

Fotografía de la autora: "Photo C. Helie, Gallimard"

Título original en francés: Coco Dias ou La Porte Dorée

Cet ouvrage, publié dans le cadre du Programme d´aide à la Publication Victoria Ocampo, bénéficie du soutien du Ministère Français des Affaires Etrangères et du Service de Coopération et d´Action Culturelle de L´Ambassade de France en Argentine.

Esta obra, publicada en el marco del Programa de Ayuda a la Publicación Victoria Ocampo, ha sido beneficiada con el apoyo del Ministerio Francés de Asuntos Extranjeros y del Servicio de Cooperación y Acción Cultural de la Embajada de Francia en Argentina.

© Editions Gallimard, 2007
Para la edición en español © Ediciones Corregidor, 2009
Rodríguez Peña 452 (C1020ADJ) Bs. As.
Web site: www.corregidor.com
e-mail: corregidor@corregidor.com
Hecho el depósito que marca la ley 11.723
ISBN 978-950-05-1858-1
Impreso en Buenos Aires - Argentina

NOTA DEL TRADUCTOR

Coco Días, uno de los personajes de este libro, es argentino pero vive desde hace treinta años en París: habla con la protagonista y narradora en un francés con vicios de pronunciación, pero francés al fin. Justamente: no habla en su propia lengua, la del Río de la Plata, sino en una lengua extranjera, una lengua en la que él es extranjero. Al traducir, he optado por remarcar esta extranjería manteniendo –también para ese personaje cuando habla en francés– el tuteo que caracteriza a las traducciones al castellano "neutro" (si tal cosa existe) que me parece el más apropiado para el tono general de la narración. Pero cuando en el original se da a entender, por medio del contexto, que los personajes argentinos (aunque en rigor también sus parlamentos estén escritos en francés) hablan en castellano –lo que ocurre siempre en Buenos Aires–, entiendo que deben hacerlo en la lengua de la ciudad, y es entonces cuando doy rienda suelta al voseo, característica saliente del habla del Plata, que ellos mismos reclaman para sí. En cambio, para Valérie, el personaje narrador, utilizo un lenguaje más neutro y mantengo siempre el tuteo: cuando narra o conversa en francés; cuando en Buenos Aires le habla en inglés a un irlandés milonguero; pero también cuando doy por sentado que se esfuerza en hablar en castellano con sus interlocutores argentinos. Por muy tanguera de ley que sea, me parece más probable que una francófona dedicada profesionalmente a la traducción simultánea en París haya incorporado el español neutro de las conferencias internacionales, o quizá el peninsular, geográficamente más cercano y europeamente comunitario, y no el idioma de los argentinos, salvo por algunos giros adoptados casi como un juego.

Las voces y expresiones que la autora –por escribirlas directamente en lengua castellana y las más de las veces en la de Buenos Aires– ha puesto en bastardilla en el original francés, casi siempre se adoptan aquí en tipografía redonda: a fin de no distraer al lector con una advertencia gráfica que tiene sentido en el original, pero que resulta innecesaria en una traducción realizada sobre todo para los hablantes de esa lengua, "extranjera" para la narradora. Lengua extranjera que por medio de la traducción, paradójicamente, se naturaliza.

El hecho de que Brina Svit sea una eslovena que escribe en francés (también su narradora y protagonista es "mitad francesa"), y una esloveno-francesa enamorada del tango y de Buenos Aires, reafirma mi convicción de que cierta general extranjería debería colorear, como un contrabando de especias en el doble fondo de una valija, el tono de esta traducción.

Ariel Dilon

Si me dedico al cine, es porque no sé bailar...
Bernardo Bertolucci

Sólo en un dios que supiese bailar podría yo creer.
Friedrich Nietzsche

"Si escribes sobre mí, yo te enseño a bailar", dice, de buenas a primeras, al final de nuestro segundo tango, en una piecita rectangular que da a un jardín a la francesa. Abro los ojos. Desde hace algún tiempo he adoptado el hábito de bailar con los ojos cerrados, de ese modo oigo mejor la música, siento mejor el suelo bajo mis pies; y además, todas las bailarinas inspiradas, en Buenos Aires, bailan con los ojos cerrados. No pretendo ser una bailarina inspirada, no, lejos de serlo, a lo sumo una escritora inspirada, y tampoco todo el tiempo, se entiende… De modo que he abierto los ojos. Me mira, él también. Un hombrecito con rostro de niño, de ojos maliciosos o desconfiados, eso depende, que se tiñe el cabello. Se llama Coco Días. Es un bailarín de tango, un maestro. "Un maestro de los maestros…", había murmurado un argentino al lado mío cuando él entró en el Latina, hace algunas semanas, a las dos de la mañana. "Deberías tomar clases con él, así vas a saber lo que quiere decir, un argentino que baila el tango…", había dicho también. Es lo que hice. Le pedí una clase particular. No es algo que acostumbre hacer, pagarme clases particulares, yo siempre estoy corriendo atrás de la plata… Pero tenía ganas, quién sabe porqué, de "hacer" unos tangos con él, sola, quiero decir, él y yo; a veces uno hace cosas que no comprende. Y además era un momento de mi vida en que empezaba a bailar en serio. No salía sin un par de zapatos de tango encima. Hay que figurarse una mujer –falsa pelirroja, de pelo rizado, bastante bien proporcionada– que todas las mañanas, antes de salir, mete en el bolso sus zapatos de baile. Los cargo incluso cuando estoy de viaje, en Lyon, en Marsella, en Montréal, por si a la noche, después de trabajar, me dan ganas de bailar unos tangos. Tengo tres pares: los viejos rojos, bien conservados con su cinta cruzada por adelante y un taco de siete centímetros, los primeros que me compré, hace tres años, en París, en una tiendita sombría y pasada de moda, en la rue Charonne; toda una historia que no voy a contar aquí. Los verdes, con el taco igual de alto, bastante chics, pero cómodos, abiertos atrás, para andar con los pies desnudos... Y por último los negros, atención, vertiginosos, de cuero forrado en terciopelo, muy sexy, taco aguja de nueve centímetros y medio, abiertos atrás y adelante, *Comme il faut*, con mayúscula, porque es una marca, y para no ponérselos sino con muy buenos bailarines, de ésos que no te pisan los pies y que saben tomarte entre sus brazos como se debe, con minúscula.

Echo una mirada a mis zapatos verdes. Los suyos son negros, acordonados, con un taco exagerado para un hombre.

—¿Entonces? –dice.

Me alzo de hombros. Yo sé bailar, qué se piensa... Soy mitad francesa, mitad quién se sabe qué, no me voy a poner a contar la historia de mi madre, adoptada al nacer, sin conocer sus orígenes, en todo caso no creo que fuese de Latinoamérica, ni siquiera de la muy europea Buenos Aires, no, no... Así que no tengo sangre argentina como él, ni siquiera un cuarto, ni un octavo, nada, nada de nada, nunca hice danza clásica, ya no soy joven, no soy particularmente dotada, pero tengo una verdadera historia con el tango. Cuando fui por primera vez –una pequeña milonga de nada, a tres calles de la mía– fue sólo por ver. Ver si había afinidad. Y hubo afinidad; una afinidad inmediata, un rayo, entendimiento mutuo. La sigue habiendo, mucha. Y además sé bailar. Sin embargo al comienzo la cosa no marchaba. Pasé por toda clase de dudas, desalientos y humillaciones. Hay que hacerse la imagen de una clase grupal, una treintena de personas en círculo y yo en el medio, como en la escuela, con el *prof* que me dice por tercera vez consecutiva que no entiende cómo no lo logro, sin embargo es sencillo, ese encadenamiento de pasos, izquierda, derecha, balanceo, izquierda... si es bien fácil, todo el mundo lo ha hecho excepto yo, y encima tengo un problema en el giro a la izquierda, levanto el pie en lugar de deslizarlo por el suelo, sin hablar de que estoy demasiado erguida, con la pelvis rígida y mal lateralizada... ¿Mal qué?

Un día me harté, pedí plata prestada y me fui para Buenos Aires. Allá encontré un viejo milonguero, Bernardino, que no hablaba para nada el mismo idioma. Me tomaba entre sus brazos, me apretaba contra él, franca, firme, fraternalmente... Ves, es eso, el tango, muchachita, me decía al oído. Es el abrazo... Tito Morales, más joven, más buen mozo, más interesado también que Bernardino, me enseñó a caminar, a alargar el paso, a apoyar mis pies en el suelo, a acariciar el suelo, el tango antes que nada es caminar, no te olvides, me decía. Por cien pesos la hora, me enseñó a balancearme con las caderas, un golpecito seco y elegante, ahí está, eso es, tenés un lindo culo, repetía, así que aprovechalo... Él lo aprovechó también, en fin, lo aprovechamos juntos. Pasamos algunas tardes inolvidables bailando en un estudio en el quinto piso de un edificio frente a Santa Rosa de Lima que velaba por nosotros (y a quien saludo al pasar, yo que no soy creyente...). Desde que regresé, bailo con Julián, el camionero de Barcelona, cuando puedo, por supuesto, es decir cuando pasa por París y estaciona su camión en la Porte de Vincennes. Nos encontramos por los muelles del Sena, en verano, o en el Latina, en la rue du Temple, allá donde vi a Coco Días por primera vez. Julián es bajito, robusto y bien plantado, tiene buen oído, así que puedo mejorar mis giros tranquilamente, o dibujar alas de mariposa con mis voleos. Hay un uruguayo también, cocinero en un gran hotel de Bruselas, que me invita a menudo a unas milongas rápidas y de compás bien marcado. O Malik, mi amigo de Marsella, capaz de venirse hasta París a mi primera señal de cabeza para bailar toda la noche conmigo; y cuando digo toda la noche, quiero decir hasta el amanecer, cuando volvemos juntos, mirando cómo se hace de día. O el médico de Toulouse que no es un gran tanguero, no, para nada, pero es agradable de seguir y tiene algunos pasos suyos que no son fáciles de descifrar. Y yo lo consigo. Lo consigo sin problemas.

—Estoy escribiendo otra cosa... –digo por fin, al cabo de largos instantes de silencio–. Una novela...

—¿Una novela? –repite con una sonrisita irónica que yo no entiendo, y se aparta para ir a elegir otro fragmento de música.

Si me preguntara qué novela, yo se lo diría de buena gana. Me gusta hablar de mis proyectos literarios, sobre todo al comienzo, cuando todo es posible todavía, y a gente que apenas conozco; es como si le tomara el pulso. Así que le diría que estoy empezando a escribir una novela, valientemente titulada *Obra maestra*, así es, ha oído bien, ése es el título. Porque a pesar de todo soy una persona ambiciosa que no hace nada a medias. Así que si escribo, si me paso horas y horas escribiendo, al menos tengo que hacerlo bien, incluso si pienso, como Agathe —el nombre de mi heroína, historiadora de arte especialista en Manet, ex-esposa de un célebre artista contemporáneo— que las obras maestras no se encuentran más que en los libros, en los museos, en el arte en una palabra.

Pero no lo pregunta. No le debe interesar, no es asunto suyo. Viene hacia mí otra vez —ha puesto un tango que me gusta mucho, *Corrientes, tres, cuatro, ocho, segundo piso ascensor...*— y apoya su mano en mi espalda. Espera, no comienza enseguida. Yo también espero, forzosamente, en el tango es el hombre el que decide. Y por fin se lanza.

Me gustaría saber porqué quiere que hablen de él. ¿Quién es? ¿Qué tiene de singular? ¿Qué sabe de la vida que los demás no sepan? Sin embargo, si reflexiono un poco, todo el mundo quiere lo mismo. Todo el mundo se cree más o menos extraordinario, incluso los que proclaman lo contrario. Me alejo para verlo de frente. ¿Acaso también él se ha puesto a reflexionar y a hacerse preguntas? No, no lo creo. Él no piensa, baila. Incluso canturrea en mi oído. *Corrientes, tres, cuatro, ocho, segundo piso ascensor...* Me cuesta seguirlo, no estoy concentrada, hago cualquier cosa. Así que baila solo, sosteniéndome contra él y arrastrándome detrás de sus pasos y sus figuras. Baila como él sabe hacerlo, Coco Días. Yo miro la piecita desnuda a nuestro alrededor, el mueble con un aparato de música y algunos discos, un gran conejo de peluche por el suelo en un rincón, con expresión plácida, estúpida.

Al final de la clase le hago un cheque. Nos cambiamos los zapatos de baile por zapatos de ciudad y abandonamos juntos ese pequeño dos ambientes en el primer piso de un edificio de los años treinta, que da sobre un jardín asombrosamente apacible y simétrico. Otro día va a decirme: es cuando no pasa nada que las cosas pasan. A menudo tiene frases aparentemente misteriosas que no necesariamente lo son. Bajamos hacia el bulevar y nos despedimos delante del metro Porte-Dorée. Cuando por un momento me doy vuelta para verlo de lejos, él ya ha desaparecido bajo la tierra.

2

¿Cuánto tiempo me llevó decirle "sí"? ¿Cuándo comencé a llevar conmigo uno de mis cuadernos –un cuaderno color arena con una franja negra en el costado– y a anotar pequeñas cosas relacionadas con él: a la tarde Coco toma té con bizcochitos, Coco siempre comete los mismos errores en francés. Coco es desconfiado, naturalmente desconfiado, se pregunta quién soy, a pesar de que se ha informado sobre mí (ha tenido que darse una vuelta por Google: Valérie Nolò, autora de dos novelas: *Dernière interview* y *Tout droit et à deux cents à l'heure contre le crépuscule*, y de una recopilación de relatos: *Chroniques nocturnes*, autora asimismo de algunas piezas radiofónicas, entre ellas *Entré dans ma vie par la fenêtre*). Él piensa que yo no entiendo para nada el tango. Pero también piensa que puedo hacer progresos. O: Coco es coqueto. O también: Coco se cambia de camisa después de las clases. Tiene un tatuaje en el pecho: una pluma. ¿Una pluma? ¿De verdad es una pluma?

Y sobre todo: ¿cómo he podido abandonar a Agathe? Cómo he podido dejar de lado las setenta páginas de mi *Obra maestra*, una verdadera novela de iniciación, aún cuando mi heroína principal tiene cincuenta años. Comenzaba a conocerla, a la morena alta, austera y con clase que se parece a Berthe Morisot. "¿A Berthe Morisot, yo?", repite ella, incrédula, ante un joven rubio de mirada penetrante, Claude Abakovitc, cierta noche lejana en un bar de la rue des Écoles. Le parece que él puede ver dentro de ella, que capta con una sola mirada algo que ella no conoce de sí misma; no sólo se siente existir en su mirada, si no que se encuentra hermosa, en fin, Berthe Morisot –Agathe va a ver todos los Manet que hay en París– era hermosa, innegablemente, y Claude Abakovitc conocedor y seguro de sí. Ella se inscribe en la maestría de historia del arte y se convierte en una especialista en Édouard Manet. Escribe un ensayo sobre él, incluso, cuando queda embarazada de Léo. Mientras está preparando ese ensayo sobre la naturaleza muerta en Manet, sobre sus limones más precisamente, es cuando adquiere el hábito de disponer algunos de éstos un poco aquí y allá por todo su departamento; una costumbre, un capricho más bien, que le va a durar mucho tiempo. Casi en la misma época –por entonces ya tienen dos hijos y las cosas comienzan a funcionar para Claude que ha abreviado su nombre por Claude Abacò– ella comprende por fin que la mirada de su marido no se detiene en las personas con las que se encuentra, que él no radiografía sus almas, sino que pasa a través de ellas sin llegar a ver nada. Claude Abacò no se interesa en los otros, no se interesa en su mujer, no se interesa más que en sí mismo y en sus obras maestras por venir, como llama a cada proyecto al que se consagra.

Pero la novela comienza mucho más tarde. Agathe tiene entonces cincuenta años (en realidad tiene cuarenta y nueve, pero hace por lo menos dos años que le dice a todo el mundo que tiene cincuenta). Sus hijos, Ninon y Léo, son adultos, y ella acaba de dejar a Claude Abacò, una noche de septiembre en Venecia. Sigue teniendo los mismos caprichos, los famosos limones por ejemplo, que continúa disponiendo por todas partes en su departamento como estallidos de color entre naturalezas muertas. La misma falta de humor: Agathe se toma todo en serio, ridículamente en serio, hasta un grado pueril, elemental… Los mismos miedos, miedo de que algo deje de funcionar correctamente, el auto, el lavavajillas, el aire acondicionado, el lavarropas… Pero también el cuerpo, su cuerpo, el de ella; le tiene miedo a la menopausia, miedo a perder su feminidad, a su propia debacle, en una palabra. Su sangre se hiela cada vez que toma un poco de frío: ¿y si fuera esto, si fuera el comienzo? Cabellos sin brillo, piel seca, malhumor, malhumor, malhumor, eso debe de querer decir algo. Cuando un osteópata a quien consulta por un dolor en la espalda le pregunta si le ha llegado la menopausia, ella se ruboriza como una adolescente mientras murmura que no, todavía no. Compra todos los libros que existen sobre el asunto: *Cómo superar la menopausia, Una nueva vida para la mujer, A favor o en contra de las hormonas...* En uno de esos libros, por otra parte de lo más deprimente, da con el siguiente consejo: póngase a aprender un baile de pareja, por ejemplo el tango. Eso es lo mejor que ella va a hacer después de mucho tiempo: va a seguir este consejo con los ojos cerrados, va a empezar a bailar.

Sí, la conozco bien a Agathe. Conozco incluso sus interpretaciones de algunas obras maestras de la pintura, otro ensayo que escribió después del de los limones de Manet. Agathe se ha interesado siempre en esta pregunta. ¿Qué tiene que tener una obra para convertirse en una obra maestra? *Las meninas* de Velázquez es el mejor ejemplo. ¿Qué pasa en ese cuadro que, en su origen, se llama *El cuadro de la familia*?, se pregunta. Ciertamente no se trata de que un buen día Velázquez haya decidido darle una sorpresa a su rey pintando el retrato de su familia: es más bien el rey, Felipe IV, quien le ha hecho un encargo a su pintor y el pintor se pone a ejecutarla. Henos aquí, pues, ante un retrato de la familia real, ampliada hasta incluir al corpulento perro que intenta cerrar un ojo en el primer plano. Es ese perro quien debería atraer nuestra atención, dice Agathe. Porque los perros de Velázquez siempre tienen los ojos abiertos, incluso cuando están acostados. Si éste, el gordo Yago, duerme con un solo ojo ante nosotros, en primer plano, y si el enano Nicolasito se divierte dándole un puntapié, es porque no se trata del retrato oficial. ¿Y qué pasa entonces en este célebre cuadro donde el pintor se representa a sí mismo en el trance de pintar una gran tela que nos da la espalda? ¿Cuál es el tema de ese cuadro —anormalmente grande, por otra parte— del que no vemos sino la cara posterior? ¿Y por qué Velázquez ha dejado de trabajar, por qué ha suspendido su pincel y alzado la vista? ¿Qué mira? ¿Al rey y la reina cuyo reflejo vemos en el espejo? ¿Por qué esta erudita puesta en escena, o mejor: esta ficción? ¿Y si Velázquez simplemente pintaba lo que estaba ocurriendo mientras él pintaba al rey y a la reina, es decir: mientras él pintaba al rey y la reina, la infanta Margarita bajó a ver a sus padres, acompañada de su séquito y del robusto perro? No hay obra maestra sin lecturas múltiples, no hay obra maestra sin misterio, dice Agathe, antes de retomar esta pregunta que ya otros se han planteado antes que ella: "¿Acaso sabemos quiénes somos, acaso sabemos lo que hacemos?".

Justamente es Velázquez en quien pienso después de haberme despedido de Coco Días en la boca del metro Porte-Dorée. Ando en mi bici. Me encanta reflexionar mientras pedaleo, eso pone en movimiento mis pensamientos. De hecho, Coco Días querría que yo fuese como Velázquez, él querría que hiciera su retrato. A él le gustaría estar en el cuadro, querría encontrarse en el reflejo en lugar del rey y de la reina. Él, Coco Días, bailarín de tango, se dispone a proponerme un encargo, un negocio, un contrato: si tú escribes sobre mí, yo te enseño a bailar. ¿Pero por qué iría yo a escribir sobre él? ¿Él quién es? ¿Qué tiene él que no tenga Agathe, mi Agathe, la alta, morena, con clase, historiadora de arte que a los cincuenta años deja a su marido, vende sus cuadros, todos los cuadros que el marido le ha regalado, incluso su retrato de jovencita donde se parece a Berthe Morisot, y que se va a aprender a bailar a Buenos Aires?

Más tarde, cuando ato mi bicicleta en la valla frente a mi edificio en la rue Folie-Regnault y subo a mi departamento, no dejo de pensar en él. De repente, deteniéndome en la escalera, me digo que nadie hasta ahora me había hecho una proposición de esta clase. Sí: Angelo, un cocinero italiano, a quien me encontré una mañana, hace dos años, en el mercado de Saint-Rémy-de-Provence, un cocinero de genio según sus clientes, un lindo muchacho de ojos azules y pelitos dorados en el pecho, así que Angelo, que esa misma noche murmuró en mi oído: si te cuento mi vida, tú vas a querer escribirla, estoy seguro... O la madre de un célebre violinista que me dijo muy seriamente: hay una gran obra para ser escrita acerca de mi hijo. ¿Le interesa a usted, señorita? No, no me interesa, ni la vida de Angelo, una estrella en la guía Michelin, ni la del violinista a quien yo no conocía ni tenía ganas de conocer. No era lo mismo. No eran verdaderas proposiciones, no eran encargos, contratos, y mucho menos negocios. Porque lo que me propone Coco es un negocio: tú escribes, y yo, te enseño a bailar. Es muy simple. Es verdad, es simple, limpio y claro. Nadie me ha propuesto nunca una cosa semejante. Y si reflexiono un poco, sólo un poquito, nadie lo volverá a hacer. Nadie me volverá a decir: si escribes sobre mí, te enseñaré a bailar. Nadie sabe bailar como él. Nadie me va a pedir de esa manera que lo ponga en el cuadro. Que lo mire, que lo observe, que lo escuche, que anote todo en mi cuaderno. Que componga con él un retrato. Un retrato con otras personas, necesariamente, personas que yo todavía no conozco, Chiquito y Flora, toda la pléyade de sus mujeres, y el famoso 840... Y que después me ponga en el cuadro, a mí también, con un pincel en la mano, suspendido como el de Velázquez, y la mirada dirigida hacia adelante, a lo lejos, hacia todo aquello que va a pasar y que yo todavía no sé. Me detengo frente al espejo oval de la entrada: siempre tengo una humedad debajo de los ojos cuando ando en bici y subo los seis pisos por la escalera. Mi gato Robert empuja la puerta de la sala y viene a ver qué está pasando. Sí, así es, será preciso que forme parte de esta historia, yo también. Yo, mis hombres, mi espejo en la entrada, mi viejo gato Robert. Incluso tú. Así es, tú.

3

—Me gusta mucho lo que me ha contado sobre Agathe.

—¿De veras?

—Y sobre su marido también, a pesar de que usted no le tiene mucha estima... Así me parece, al menos.

—Es un artista contemporáneo.

—¿Qué quiere usted decir?

—Que es relativamente fácil.

—¿Fácil?

—Sí... En el sentido de que yo podría hacerlo, también. Soy incapaz de tocar un concierto para piano de Rachmaninoff. Y mucho menos de componerlo. Pero eventualmente podría concebir ese tipo de instalaciones, ya sabe... Trescientas sesenta y cinco botellas vacías, dispuestas en el suelo, en un espacio despojado. Iluminadas fríamente, feamente, de costado, con proyectores rasantes. *Feliz año, querida...* Es el título. Muy importante, el título, en esa clase de empresas. Y en este caso, justamente, es un buen título. Un muy buen título...

—Es natural, la autora es usted...

—Hay otro que se le parece. *Identificación de una mujer.*

—Eso me suena...

—Claro, ni siquiera es de él, ese título. Es más o menos lo mismo que lo de las botellas. Salvo que en este caso son camisones. Un montón de camisones blancos, hallados en el Mercado de Pulgas o en Emaús, colgados del techo e iluminados de una manera diferente... *Identificación de una mujer.*

—Como idea no está mal...

—¿Qué sabe, él, de las mujeres?

—Me gusta cómo habla de sus personajes. Es muy convincente. Es una mujer convincente.

—Qué saben realmente los hombres de las mujeres?

—¿Es una pregunta?

Él me mira de soslayo, inclinando la cabeza y cruzando las manos sobre la mesa que tenemos delante. Tiene unas largas manos ascéticas. Es la tercera vez que estoy con él y la segunda vez que pienso lo mismo al ver sus manos. El hombre de las largas manos ascéticas. El hombre de las cuatro iniciales. Así es como lo llamo cuando pienso en él. Quiero quedarme a la sombra, dijo la primera vez que me invitó. Nos conocimos en un cóctel. Un hombre elegante, un poco encorvado, cabellos blancos, traje y corbata, absolutamente impecable, ni la menor falta de gusto, como decía una de mis heroínas a propósito de la gente impecable y sin brillo. Estaba al lado mío, con un vaso en la mano, e igual que yo, con un vaso en la mano. Yo esperaba a mi amiga Natacha, ella era la que me había invitado, no, ella me había dicho que pasara, de vez en cuando hay que mostrarse, decía. Como ella no venía, empecé a hablar con mi vecino, supongo que para eso han de servir, los cócteles, para hablar con gente a la que uno no conoce; a mí por lo menos, que me aburro fácilmente en ese tipo de reuniones. Él estaba sorprendido, desconcertado, incluso encantado. Una mujer que se dirige a él, una falsa pelirroja, de pelo rizado, bastante bien proporcionada, una escritora, no, una novelista, ya sabes que me gusta establecer esa distinción, como Sartre o Kundera, al mismo tiempo sin tomarme demasiado en serio, en el sentido de que jamás hablo de la escritura con mayúscula. Por otra parte yo no hablo de escritura, sino más bien de literatura; y además es un trabajo como cualquier otro, tan sólo un poquito más solitario y a merced de la duda. Pronuncié una larga parrafada a propósito de Hemingway, no me preguntes por qué. Hablé de la observación, de la observación y otra vez de la observación. Hemingway sabía de lo que hablaba en sus novelas; era un gran observador. Y cuando no podía observar, se informaba. Nunca estuvo en Caporetto. Sin embargo lo describe hasta el más mínimo detalle. "¿No quiere usted que prolonguemos esta conversación alguna otra vez, los dos solos, en un lugar tranquilo?", dijo mi interlocutor.

La segunda y la tercera vez, en un lugar tranquilo, discreto incluso, por no decir sombrío, yo estaba mucho menos segura de mí misma. Hemingway ya no me inspiraba. No tenía ganas de hablar de mí. Ni de mí ni de mi hijo Félix –no fui yo quien eligió ese nombre– que desde hace un año y medio vive con su padre en Saint-Germain-en-Laye, ni de mi viejo gato Robert –tampoco tengo nada que ver con ese nombre–, en realidad el gato de mi amiga Natacha, que quería desembarazarse de él, demasiado viejo, decía ella, se puede morir cualquier día de éstos. No quería hablar de mi vida de todos los días, ni de mis problemas de dinero, yo siempre estoy corriendo atrás de la plata, es patético, soy una intérprete y traductora que querría poder escribir a tiempo completo... De modo que no tenía nada en contra del rumbo que había tomado la conversación, siempre he preferido hablar de mis personajes que tienen vidas mucho más intrigantes que la mía. Él tampoco quería hablar de la suya, en todo caso no esta vez. Solamente dijo: "Me siento un poquito más feliz desde que la conozco".

—¿Es una pregunta? –repite, con una sonrisita inquieta en la comisura de los labios, y las largas manos ascéticas apoyadas todavía una delante de la otra.

Sí, es una pregunta. Una verdadera pregunta y no vale la pena sonreír disimuladamente. Una pregunta que me hago casi todos los días y desde hace mucho tiempo. ¿Qué saben los hombres realmente sobre las mujeres? Y no es sino el ex de Agathe en quien estoy pensando, famoso y brumoso artista contemporáneo y en su *Identificación de una mujer*, y en el mío, también ex, en absoluto de la misma especie, ni tampoco modesto, el padre de Félix que siempre sabía mejor que yo lo que yo debía o no debía hacer, lo que era bueno o malo para mí, lo que yo sentía o no sentía, en una palabra, me comprendía, me conocía, sabía quién era yo... Como todos esos escritores de los siglos pasados, todos más o menos especializados en psicología femenina, pero no quiero abrir esa compuerta, es demasiado fácil, justamente, la cosa fluye por sí sola... No respondo, hago como él, sonrío. He aquí entonces el primer interrogante que queda abierto entre nosotros.

—¿Desde hace cuánto tiempo trabaja usted en ese libro? —pregunta él al cabo de un momento, para cambiar de tema y retornar a un terreno más seguro.

—Empecé en el mes de septiembre. Pero tengo que hacer otras cosas al mismo tiempo… Ganar plata, por ejemplo…

—¿Y lo va a abandonar porque ha conocido a un bailarín de tango que le ha hecho una proposición?

—No es una proposición banal. Es una verdadera idea literaria. ¡Cuántos escritores se rompen la cabeza buscando un tema para un libro! Mientras que a mí me lo traen en bandeja. Y con una recompensa además. Una recompensa en oro…

—¿Cuál recompensa?

—Me va a enseñar a bailar.

—¿Y eso es importante para usted?

—Adivine…

—¿Cómo se llama, él?

—Coco.

—¿Cocó?

Lo pronuncia mal, con el acento en la última sílaba: "cocó", así la cosa no va.

—En realidad se llama Orlando. Orlando Días. Pero le dicen Coco.

—¿Y qué tiene de particular, ese Cocó?

Me saco los aros; primero de una oreja, después de la otra… Me los vuelvo a poner. Es enervante, lo sé, es un tic: cuando busco una idea, cuando me aburro o incluso sin ninguna razón, juego con mis aros.

—¿Quiere que le sea totalmente sincera?

Ahora sonríe de otra manera, con un ligero brillo en los ojos, al menos eso me parece, uno apenas puede verse en este café.

—Valérie… —dice, como si quisiera ensayar la pronunciación de mi nombre.

—En realidad, no sé nada de él. Apenas lo conozco. Bailé alguna vez con él, eso es todo. Aunque puede llegar a ser bastante revelador, el tango…

—¿Revelador? ¿De qué?

—De todo. De lo que uno es. De la masculinidad.

—¿Masculinidad?

—Sí, masculinidad. Y eso me interesa. Todos los hombres me interesan en este momento...

—¿Todos?

Baja la vista y adelanta una mano hacia la mía. Tímidamente, sin tocarla, como si fuera un juego, un juego de manos.

—Todos. ¿Por qué cree usted que acepté esta invitación?

4

Es verdad que no sé nada de él. Tal vez es banal, pretencioso, sin interés. Un hombre de cincuenta años, cincuenta y cinco exactamente, *cinq cinq* como dice él, cuando le preguntan su edad. Un tipo entre dos etapas, entonces, que se tiñe el pelo. Es lo primero que observé: se tiñe el pelo de castaño oscuro, casi negro. Más tarde yo no iba a prestarle a eso ninguna atención, ya ni siquiera lo veía, en cualquier caso todos los milongueros, en Buenos Aires, cuando envejecen hacen lo mismo. Es menudo, ágil. Tiene un rostro cambiante, inteligente, curtido, que cuando sonríe adquiere un resplandor inocente y juvenil. De hermosas manos, sin lugar a duda, manos hechas para tocar las telas, toda clase de telas costosas, preciosas. Un día, en un café muy cerca de mi casa, casualmente yo iba a dar con una foto de Cristóbal Balenciaga, y anotaría en mi cuaderno de tapas color arena: Tiene algo del joven Coco, la misma frente, los mismos cabellos engominados y peinados para atrás, los mismos ojos brillantes, encendidos, la misma elegancia de los años cincuenta; hasta se visten de los mismos colores: blanco y negro. Y entre paréntesis, no obstante, una diferencia: las mujeres debían estar locas por él (por Coco, se entiende). Es argentino, Orlando Coco Días, nacido en la provincia del Chaco, en Resistencia, en el noreste argentino, pero pasó la mayor parte de su vida argentina en un asentamiento precario de los suburbios de Buenos Aires. Vive en Francia desde hace treinta años, veintinueve exactamente. Llegó en barco hasta Niza, dieciséis días de travesía, cinco escalas, hace veintinueve años, durante la dictadura, aunque la situación política de su país no esté en el origen de su partida. Una noche, en el Latina, nos encontraremos de casualidad con otra argentina, Griselda Sarmiento, psicoanalista, que iba con él en el barco. Bailarín de tango, entonces. Un bailarín nato; dicho de otro modo: lo lleva en la sangre. Quiero decir, al tango. Eso, más o menos, es todo lo que sé de él. No, también sé que toma té, nunca mate ni café, té entonces, en el que moja toda clase de bizcochos, medialunas, budines con pasas o de chocolate. Lleva en su bolso una camisa de repuesto. Y sobre todo, detalle curioso, a no olvidarlo: una pluma tatuada en el pecho. "Es para ti…", dijo con aire serio cuando se la vi por primera vez. Eso es todo. Todo lo que sé de él. Pero, con pluma o sin pluma, es posible que sea banal, sin interés y que yo esté tomando un rumbo equivocado.

Esa es exactamente la frase que repito por segunda vez cuando ato mi bici cerca del metro y alzo la vista hacia enfrente, hacia la otra salida del metro Porte-Dorée. Para ser octubre no hace frío, las hojas comienzan a volar y a tapizar las veredas. Me ha citado a las cinco y media delante del metro, junto al quiosco de diarios. Tal vez no esté solo, dijo. Cuando miro del otro lado del bulevar, hacia el quiosco de diarios, no veo a nadie. Sí, hay un hombre con la cabeza enfundada en un gorro de fieltro, y ante él un cochecito de bebé, pero no es él. Sí, es él, exclamo para mí, cuando cruzo el bulevar y me voy acercando a Coco Días y al cochecito. ¿Es necesario que subraye que no entiendo nada de lo que está pasando? ¿No se suponía que me iba a dar una clase, no teníamos que hablar, no traje conmigo mi cuaderno? ¿No íbamos a empezar, eso, a empezar…? Espera que le dé un beso para decirme al oído: "Es mi hijo".

—¿Tu hijo?

—Se llama Gaëtan. Perdimos un escarpín…

Me inclino sobre el cochecito. Y aquí estoy, nariz con nariz delante de un bebé, un varón, de cara redonda, de piel muy blanca, piel de niña, los ojos enormes y brillantes con largas pestañas curvas. Me mira, él también. Me sonríe. Se parece a su padre, es Coco Días en miniatura; un Coco Días en miniatura que hubiera perdido un escarpín.

—¿Vamos? Gaëtan tiene hambre… Vamos a darle de comer. Ven…

Sigo sin entender. Subimos por el bulevar, doblamos a la izquierda, cruzamos el parque frente al edificio. Hay que llevar el considerable cochecito hasta el primer piso. Coco abre la puerta del departamento donde ya hemos bailado juntos y donde me hizo su proposición. El bebé se empieza a impacientar.

—Sostenlo, le voy a preparar un biberón… –dice y me lo pone en brazos.

El chiquitín deja de llorar, más bien por la sorpresa. Es suave, huele bien, como todos los bebés, debe tener seis o siete meses, ocho quizás. Y ésta quién es, no la conozco, se pregunta girando la cabeza hacia mí. Con mi mano libre, le masajeo el piecito frío. Lo paseo por el pequeño dos ambientes, prestado a Coco por un amigo: una habitación con una cama, un ropero, una sala, si se la puede llamar así, vacía, excepto por la lectora de CD y el gran conejo de peluche. El conejo, más grande que el bebé, no parece interesarle para nada. Tiene hambre, ¿cómo hay que decirlo? Intento distraerlo. Vamos hasta una ventana que da sobre un jardín curiosamente estricto y simétrico. Enfrente, del otro lado del pasillo, en una cocina toda a lo largo, amueblada apenas, Coco atiende la alimentación de su hijo. Evidentemente lo tiene todo previsto: leche en polvo, biberón, babero, pañal limpio… Toma, me dice acercándose y tendiéndome el biberón tibio, como si eso también estuviera previsto. Previsto por él, desde luego, yo no hago otra cosa que obedecer, seguir el movimiento; es evidente que tiene un gran talento para la puesta en escena. Esta escena, la primera, la inicial, podría llamarse: Coco tiene un hijo. Es efectiva, fluida, casi sin palabras. Todo está claro, está todo dicho, en todo caso lo esencial. Tiene un hijo, está orgulloso de él, es su tesoro. Con el hijo en brazos, continuando en mi papel sorpresa, voy a la habitación, el único lugar en el departamento donde es posible sentarse. Coco se queda de pie, sonriendo, contento de la escena que tiene ante los ojos, después desaparece en la pieza de al lado, dejándome sola con el pequeñín.

¿Cómo respondería yo si alguien, Félix por ejemplo, o Natacha, o el hombre de las cuatro iniciales, o tú, sí, tú, me preguntara qué hice esta tarde?

"Le di el biberón a un bebé de siete meses al que no conozco, el hijo de un bailarín de tango, Coco Días, a quien conozco apenas".

O bien: "Traté de calentar el piecito de un bebé mientras le daba el biberón. Estaba sentada sobre la cama en un pequeño departamento en el primer piso de un edificio construido con fondos estatales en los años treinta, a un costado del bulevar des Maréchaux. Un departamento modesto, apenas amueblado: una cama, un ropero, un anafe en la cocina, una lectora de CD, un gran conejo de peluche... Un conejo con una expresión perfectamente idiota...".

O: "Le di de comer a un niño, Gaëtan. Le di el biberón. Se me durmió en brazos al son de *Vieja Recova*, un tango de Osvaldo Pugliese. Lo apoyé sobre la cama, lo cubrí con una mantita de lana y fui a la pieza de al lado donde me esperaba su padre, Coco Días, bailarín de tango. Nos pusimos a bailar... Nos olvidamos por completo del bebé, yo por lo menos. Él no decía gran cosa entre tango y tango. Evidentemente no tenía demasiadas ganas de hablar aquella tarde. Sólo mascullaba que me dejara hacer, que tuviese confianza en mí, confianza en mi inspiración. Es eso, inspiración. Porque el tango también era eso: confianza, inspiración... Después de cinco, seis tangos, cambiamos al bebé, que entretanto se había despertado. No adivinarías nunca lo que encontramos dentro de su pañal. Un escarpín. Un escarpín de bebé... Cuando salimos del departamento, cuando bajamos por el bulevar hasta el metro Porte-Dorée, ya se había hecho de noche".

O simplemente: "Empezó. Mi libro sobre Coco Días...".

5

Hojeo mi cuaderno de tapas color arena, sobre la cual he escrito: Coco Días. Siempre tomo notas cuando estoy escribiendo, toda clase de notas, no necesariamente en relación con la novela en curso. Puedo anotar, por ejemplo, al pie de la página, para no olvidarlo, para mantenerme alerta, para tener una cierta moral: *Escribir ceñido, sobrio, sin efectos de estilo... Sobre todo escribir veraz... Contar...* O en la misma vena, también a pie de página: *El secreto para aburrir, es querer decirlo todo...* O también: *El momento de verdad no tiene nada que ver con el realismo.* O: *Lo que realmente pasa, es lo que me sucede a mí.* O bien anotar al vuelo una frase que me gusta: *Esa oscura claridad que cae desde las estrellas...* O esta cita de Borges en el idioma original: *Todo sucede por primera vez, pero de un modo eterno.* Con un gran signo de interrogación. Y entre paréntesis: *¿es verdad? ¿Tiene razón, Borges? ¿De verdad todo sucede por primera vez pero de un modo eterno?*

Tengo un montón de cuadernos en mi cuarto. Viejos, amarillentos, ajados, manchados de tinta o de alguna otra cosa, números de teléfono o direcciones escritas de apuro sobre la contratapa; cuadernos que han servido, cuadernos que han vivido, no obstante con esta observación: no soy particularmente cuidadosa. El que acompañaba *Obra maestra* sigue estando sobre mi escritorio; rojo, con una franja negra, lleno hasta la mitad: detalles sobre Agathe, sobre su ex-marido, reflexiones sobre el arte, sobre Velázquez más que nada, y cosas así...

El nuevo, de color arena, todavía está bastante limpio, apenas empezado, unas diez páginas, no más. Estoy muy atenta a él. No me digo a mí misma, como con los otros: si lo pierdo, no es nada grave, tengo imaginación. No lo tengo siempre en mi bolso; sólo lo llevo conmigo cuando voy a la Porte Dorée, cuando tengo cita con

Coco. Tampoco lo atiborro de exhortaciones literarias, de trozos de frases que me gustan o de citas. He escrito en él del modo más legible posible, con verdaderas frases, frases cortas, nombres, fechas, todo sin tachaduras, en fin, eso intento... Habitualmente –pues ya comenzamos a tener nuestros hábitos– es en la cocina, durante la pausa, después de la primera serie de tangos, esperando que hierva el agua para su té. Yo me siento al lado de la pileta o en el suelo, eso depende, con mi cuaderno sobre las rodillas. Él se queda parado, porque quiere mostrarme un paso, un gesto, una actitud, pero también sencillamente porque no hay dónde sentarse. Al agua sobre el pequeño anafe le lleva un largo rato hervir, tenemos todo el tiempo del mundo. Saca tazas, saquitos de té, medialunas o budín con pasas, o bien bizcochos... Lo miro hacer, lo observo, permanezco atenta. Lo escucho, le hago preguntas... Veo que todavía desconfía, se mantiene en guardia, no me conoce. Me llama *Ba*lérie, aún después de haber vivido treinta años en Francia no distingue bien la "b" y la "v". Así que para él soy Balérie, Balérie Nolò, conoce mi olor, mi cuello, mis hombros, mi pecho, mis caderas, mis piernas –tienes lindas piernas, así que estira bien tus pasos para que se las vea, dice. Conoce mi apellido, mi nombre y mi cuerpo. Fuera de eso no tiene la menor idea de quién soy ni de lo que voy a escribir, y yo tampoco; por lo demás le sigo haciendo cheques cada vez que nos vemos. Le pido que no los cobre, es decir que lo haga sólo en el caso de que yo cambie de opinión. Así tengo una puerta de salida, no le debo nada, adiós Coco, se acabó lo que se daba, no estuvo mal, pero tengo mis dudas, no estoy segura de mí misma, no sé qué hacer con todo lo que anoto en mi cuaderno.

Es verdad, ¿qué puedo hacer con eso? Coco echa azúcar en su té. Coco es bastante elegante en su estilo, se viste bien, bellas camisas negras o blancas; sobre todo blancas. El blanco, ése es su color. Hasta tiene un par de zapatos de tango blancos. En verano, no se viste más que de blanco. En las primeras páginas de mis notas, se repite todo el tiempo el mismo color; y eso no terminará allí, es como un leitmotiv, una firma. Cuando se lo hago notar, dice: Tú no sabes de dónde vengo. ¿Es una idea de pureza o de inocencia lo que hay detrás? ¿O bien otra cosa que no tiene nada que ver con la una ni con la otra? No ha cursado más de dos años de escuela primaria. A los nueve años comienza a trabajar. Lustra zapatos y vende diarios; hay que traer plata a casa. Ayudar a la madre, que ha abandonado al marido llevándose los dos hijos (Coco y su hermana Isabel). Gana tres mil quinientos pesos por mes, no tengo la menor idea de lo que eso podía representar, seguramente no gran cosa. Cuando debería estar en clase como todos los chicos de su edad, Coco, Coquito, como lo llaman, vende diarios y se hace lustrador de zapatos en la entrada de la estación José León Suárez. A la noche, después de diez horas de trabajo y antes de volver a casa, va a jugarse uno o dos billares en un café, como un adulto, como un hombre. Su gran recuerdo escolar es el guardapolvo blanco. Llevaba un guardapolvo blanco inmaculado. Cuando llegó a Buenos Aires, en tren, no sé qué edad tenía, cuando se encontró en la estación de Retiro, era grandiosa. Como si hubiese llegado al paraíso. O a Nueva York, son sus palabras. Los choferes de taxi llevaban todos guantes blancos.

Está también 840, tres cifras, un nombre en código en lugar del verdadero nombre. Ocho cuarenta o simplemente Ocho. "No quiero decirte su verdadero nombre. No quiero que vaya preso, tú comprenderás…", dijo Coco cuando me habló de él por primera vez. Es un personaje omnipresente en mi cuaderno y en sus conversaciones; incluso me encuentro pensando en él mientras bailo con Coco. O mejor aún: me ocurre pensar que bailo con él y no con Coco. Así que Ocho, a quien llamaban Criminal cuando era chiquito. Porque un día su padre lo sorprendió a punto de apalear a su hermanita y se puso a gritar: criminal, criminal… El pichón de una gran familia italiana. Un crío indomable, violento. Más tarde un joven delgado con la belleza de los jefes, una mezcla de brutalidad y desenvoltura con su mechón rubio sobre los ojos. Tiene clase, éxito con las chicas, se impone. Es importante para Coco: un hermano mayor, un modelo, sobre todo una fuente. Él le enseña el tango, a través de él es como se lleva a cabo la transmisión. De más edad, pero venido del mismo barrio, del mismo asentamiento pre-

cario, de la misma *villa miseria,* de la misma miseria, a secas. Salvo
que Ocho ha terminado mal, en fin, eso depende del punto de vista
en el que uno se sitúe. Se podría decir que han triunfado los dos, se
han forjado un nombre, cada uno a su manera: Coco en el tango,
840 en la droga. Más tarde, en Buenos Aires, en un café siniestro en
la esquina de Brasil y Santiago del Estero, voy a escribir en mi cuaderno: tengo que decirme que no estoy soñando, que lo puedo
tocar, que es él, 840. Ya no es un muchacho apuesto, su mechón
rubio es blanco por debajo del colorante para cabellos, le cuesta respirar, toda la policía de Buenos Aires le está pisando los talones,
pero es él, Ocho.

Otro recuerdo de Coco, en las primeras páginas de mi cuaderno, con Ocho por supuesto, aún cuando a éste no le toque un
papel protagónico: es un sábado a la noche, se van a bailar al Tigre,
cerca del delta del Paraná, toda la banda del barrio. Coco es uno de
los más chicos, tiene catorce, quince años, adora esas salidas de fin
de semana, adora bailar. Y lo hace bien, muy bien. Incluso ha
ganado un concurso de tango con su hermana Isabel. Tiene un solo
problema: no tiene saco, y para ir a bailar el tango hay que estar
bien vestido, o sea tener un saco. Habitualmente encuentra una
solución: o bien se escurre entre los que están vestidos Comme il
faut, o bien espera afuera hasta que le tiren uno por la ventana, para
que pueda entrar. Pero esta vez, en Tigre, la cosa no marcha. Coco
tiene su entrada, pero el tipo de la puerta es inabordable, y no cae
ningún saco por la ventana. Coco se pone a vagar por las calles
desiertas. Es tarde, todo el mundo duerme, las luces están apaga-
das. No, hay una que todavía está encendida. Coco toca a la puerta
de un chalecito. Abre la puerta una vieja —en fin, tal vez tuviese la
misma edad que Coco ahora. ¿Qué está haciendo el muchachito, a
esta hora allí afuera, en su puerta? Coco dice que tiene frío, no tendría ella un saco para prestarle, se lo devolverá más tarde, seguro, él
se lo va a devolver, puede creer en su palabra. La mujer le propone
un buzo, un pulóver, una camisa… No, no, Coco quiere un saco.
¿Un saco? Sí, un saco. Ella lo deja solo por un largo momento en la
puerta, a tal punto que él ya quiere irse a probar suerte en otra

parte. Cuando por fin ella vuelve a aparecer, trae al brazo un saco. Es grande, demasiado grande para él, pero es un saco, uno de verdad. A él le cuesta esconder su alegría, se pierde adentro, pero enrolla las mangas, así, esto va a servir, es perfecto, se lo va a devolver, no hay de qué preocuparse, en él se puede confiar. Algunas horas más tarde, horas dichosas —ya es de mañana, una mañana radiante después de una o dos horas de sueño a la orilla del río–, vuelve a llamar a la puerta de aquella que le ha salvado la noche, la mujer le dice que puede conservarlo: era de su marido, que se ha muerto, ya no sirve de nada. De ahora en más, va a volver a servir. Durante largo tiempo ése será el único saco de Coco, su elegancia, su sésamo.

6

Una mañana, en el mes de octubre –conocí a Coco Días en septiembre– tengo un llamado de Robert, mi editor. Quiere saber cómo va mi *Obra maestra* (he dudado entre la minúscula y la mayúscula). Da vueltas, pregunta cómo va todo, se informa sobre mi hijo y hasta sobre mi gato (Robert igual que él), pero en concreto es esto: ¿estás escribiendo, la cosa avanza, puedo contar contigo para el plan editorial del año? Es comprensible, le he hablado mucho de Agathe, lo hacía con todo el mundo y con él más todavía, se supone que es mi primer y más exigente lector. Sin quererlo, le daba risa con todas esas pequeñas fobias y manías de Agathe, sobre todo con su miedo a la menopausia (que lo intrigaba mucho, como si yo pudiera despejarle alguna duda al respecto), incluso con su admiración por Velázquez, aunque Agathe tenga razón, me decía, *Las meninas* es una obra de arte absoluta.

—¿Y cómo va, entonces? –pregunta al cabo de algunos instantes de silencio, porque yo no respondo enseguida.

Ahora es cuando podría hablarle, éste es el momento ideal. Le puedo decir que he conocido a un bailarín de tango, un gran bailarín que me ha propuesto un negocio, un contrato. Una proposición, un negocio, un contrato que no se puede rechazar. Sobre todo si uno ama el tango, si uno quiere entender algo del tango, si uno ha caído en su embrujo como yo. O sencillamente si se quiere llegar a ser una muy buena bailarina, y es mi caso, yo quiero convertirme en una bailarina de tango, es importante para mí, tan importante como la literatura. Entonces le digo "sí", compré un cuaderno nuevo, voy una vez por semana a la Porte Dorée.

De repente me doy cuenta de que nadie sabe lo que hago una vez por semana en la Porte Dorée. Sí, Natacha. A ella se lo conté. Le hablé de esto en un momento de debilidad, de cuestionamiento, en el que yo no estaba tan segura de abandonar mi *Obra maestra*. Claro que no dije "mi obra maestra", ni mayúscula ni minúscula, nada, por lo demás no le contaba a nadie cómo pensaba llamar a ese libro, y menos todavía a Natacha que se lo habría tomado como una afrenta personal. Ya que Natacha Pernetty es escritora como yo, no, mejor, claramente mejor. Ella siempre quiso ser mejor, desde nuestro primer encuentro. Nos conocimos hace algunos años, en una feria del libro. Estábamos sentadas una al lado de la otra. Nos aburríamos duro y parejo, la gente pasaba delante de nosotras sin detenerse o bien para leer la contratapa o para ver nuestra foto colgada arriba de nosotras, verificando que en realidad estábamos mejor en la foto, sí, siempre se hacen trampas con las fotos, ya se sabe, y después acelerando el paso para ir a unirse a la cola delante de una estrella de la tele que ha publicado un libro. Entonces contábamos nuestros ejemplares vendidos. Natacha once, yo ocho, en todo un fin de semana en Saint-Étienne o en Saint-Chamond, ya ni me acuerdo. Ella estaba contenta, muy contenta, había puesto en juego sus mejores cartas para batirme en el marcador, incluso su generoso escote; más tarde descubrí que además eso era lo más generoso que tenía ella. Pero al principio, hay que decirlo, me deslumbraba, me fascinaba, me intrigaba. Su aplomo, su manera de hablar, de moverse, de vestir, lo segura que estaba de sí misma. Y su Robert. "Ya me tengo que ir, Robert me espera… No se puede dormir cuando está solo. Necesita acurrucarse contra mí, tú me entiendes…", me decía, con un mohín afectado. Yo asentía, yo comprendía, yo la envidiaba incluso, dado que no tenía a nadie que me esperara en casa para poderse dormir y mucho menos para acurrucarse contra mí. El padre de Félix acababa mudarse llevándose con él a nuestro hijo de trece años; y además, de todos modos, hacía mucho tiempo que ya no nos acurrucábamos el uno contra el otro. En contrapartida, me llevó algún tiempo comprender que Robert, el pobre viejo que esperaba a Natacha para dormirse contra ella, era nada menos que su gato al que ella quería hacer dar una inyección. "Se puede morir cualquier día de éstos, yo sería incapaz de afrontar su muerte, sabes… Despertarme junto a un gato muerto, no, no, no…", repetía con horror, apretando la boca como suele hacer cuando está contrariada. Así que no sé porqué –no me gustan especialmente los gatos–, le propuse traérmelo a mi casa, aún cuando podía morirse cualquiera día de éstos (el riesgo que corremos todos). Aparte de eso, Natacha es una rubia alta, que lleva tacos para estar más alta todavía. Es bastante bonita, sobre todo de perfil. Jamás se expone al sol, no fuma, no bebe alcohol. Se acuesta temprano y va a nadar tres veces por semana. Me cuido, dice. Es difícil darle alguna edad. Si sigue cuidándose como lo hace, con la ayuda de un buen cirujano estético, le van a seguir dando siempre cuarenta años, cuando en realidad va a tener sesenta y cinco. No tiene hijos. "Yo hago libros…", responde cuando se le pregunta por eso. Escribe en un idioma que se parece a ella: flexible, deseoso de agradar. También fabricado, mentiroso y envidioso. Es rápida, lee mucho, tiene un blog; hay que decir que puede tener muy buen juicio. Entonces yo la llamo cuando dudo de mí misma o si pienso que estoy a punto de equivocarme, de embarcarme en una historia equivocada (literaria, quiero decir). Ésa es la razón por la que le he hablado de la Porte Dorée. "Me pregunto si es una buena idea, esta historia del bailarín de tango, ya sabes…, le he dicho en el teléfono después de haberle contado brevemente de qué se trataba. –No lo creo…, respondió al cabo de un momento. –¿No lo crees? –No, no, te lo aseguro, Valérie. Créeme…", añadió. Así que eso quiere decir que está bastante bien, que la cosa marcha, que puedo seguir adelante, me dije al colgar. Decididamente la rivalidad literaria tiene su lado bueno.

También le hablé de esto al hombre de las cuatro iniciales. No fue con el mismo fin que con Natacha, incluso si en ocasiones hablábamos de literatura. Hacer literatura quería decir hablar de nosotros, intentar conocernos, a pesar del hecho de que no teníamos para nada los mismos gustos. Él, más bien Beckett o esa escritura francesa austera, blanca, poética, por no decir constipada –no sé cómo llamarla– de la que cada tanto me enviaba algunas citas como ésta: "Afila tu rechazo en la piedra del silencio. No digas nada de tus ausencias. Hablar, ¿para qué hablar?". Sin embargo él no paraba. Me hablaba de su trabajo (es abogado de empresa), de su primera mujer (com-

pletamente neurasténica), de la segunda (egoísta y para nada sensual), de la sociedad francesa (bastante egoísta, y tampoco sensual en
realidad). Yo lo escuchaba con mucho interés. Es un hombre fino,
inteligente, culto, podría decir más fino, más inteligente y más culto
que yo. Habla bien, con hiperbatones y anáforas a la Chirac. Tiene
una hermosa letra apretada y angulosa que se parece a su rostro;
firma con sus cuatro iniciales. De más edad que yo, pero flexible y
bien conservado: juega al tenis, va a los baños turcos, come japonés
al mediodía y se acuesta a las once de la noche igual que Natacha. Así
que te puedes imaginar que me pregunto qué está haciendo conmigo. Hay que decir que eso se resume en poca cosa: en total, y sin
contar el cóctel, nos hemos visto tres veces. Tres veces en los salones
interiores de bares bastante chics y sombríos; tres ocasiones, pues, en
que hemos hablado mucho y en que él ha intentado apoyar sus largas manos huesudas sobre las mías, y se ha echado atrás en el último
momento. Me dijo que era un poco más feliz desde que me conocía.
Pero puedo invertir la interpelación y preguntarme qué hago yo con
ese hombre que realmente no es mi tipo. Por otra parte, ¿cuál es mi
tipo? ¿Acaso el padre de Félix, ilustrador de libros para niños, hijo de
una enfermera catalana y de un ingeniero civil bretón, pero parisino
de nacimiento como yo (y no voy a entrar en detalles…), acaso el
padre de mi hijo era mi tipo? ¿Coco Días sería mi tipo? ¿O Fabián?
¿O los hombres con los que bailo el tango? ¿Entonces qué hacía con
el hombre de las cuatro iniciales de quien he pensado por un
momento que no era mi tipo? Quería comprender algo sobre el *tipo*,
en sentido amplio; sobre el género masculino en general, y sobre los
hombres en particular. Se lo dije, además. Le dije que me interesa-
ban los hombres, que los estudiaba, eso es, incluso si no tenía
muchos ejemplares a mano, y que ésa era una de las razones por las
cuales había aceptado la invitación. Pensé que se sentiría herido y
que no me llamaría más, que era el tipo de hombre, justamente, que
podía ofenderse por una cosa así. Pero no se ofendió, al contrario: al
día siguiente me envió un gran ramo de rosas con una esquela escrita
de su puño y letra: "Feliz de que usted se interese en mí". Desde
entonces me llama por teléfono día por medio, me pregunta cómo

estoy, si estoy escribiendo y si persevero con Coco Días. No, no, más bien dice: "¿Sigue usted yendo a la Porte Dorée?". Pone asombro e ironía en su manera de pronunciar "*porte dorée*", como si fuera una cosa sin importancia, completamente periférica, un capricho, un antojo. ¿Hubo Puerta Dorada esta semana, Valérie? O bien: "¿Y la Puerta Dorada, cómo va?, pregunta. Yo vacilo en responder, digo "sí" o "no", o bien eludo el asunto. Quiero guardarlo para mí.

—¿Valérie?

Es Robert, que espera pacientemente del otro lado de la línea.

—¿Todo bien?

—Sí, sí…

—No me has contestado sobre Agathe…

Estoy sentada en el sofá, con el otro Robert sobre las rodillas. Para ser un viejo gato que debería morirse cualquier día de éstos, se encuentra bastante bien: se mete en todas partes, se interesa en todo. Pero desde el momento en que yo me acomodo en algún lugar, en el suelo o en el sofá o incluso sobre el borde de la bañera, salta a mis rodillas y no quiere moverse más. Está contento, ronronea como un loco, es lo mejor de lo mejor. Robert, el editor, tiene razón: todavía no he dicho nada. Siempre soy lenta por la mañana. Y además acabo de darme cuenta de algo: no es que no quiera hablar demasiado de lo que pasa en la Porte Dorée. No quiero hablar en absoluto.

—¿Agathe? Va lo más bien… Mucho mejor que al principio, en todo caso…

—¿Entonces la cosa avanza? ¿Sigue siendo igual de graciosa, tu heroína?

7

¿Graciosa? Yo nunca he dicho que fuese graciosa, al contrario. A Agathe le falta humor, es rígida, incluso maniática, sobre todo para las cosas que no valen la pena. Pero uno siempre entiende lo que quiere entender. Ésa es una de las razones por las que empecé a bailar el tango. No quería equivocarme más acerca de los otros. Ya no quería entender únicamente con palabras, no te sonrías, hablo en serio. ¿Acaso existe otra actividad donde se esté hasta tal punto a la escucha del otro que en el tango?

No era la única razón, desde luego. Me encontré sola, el padre de Félix acababa de hacer sus valijas, cargando también las de nuestro hijo, sin hablar de los muebles, la vajilla, los libros, la tele, el equipo de música, y hasta el pequeño botiquín que perteneció a mi madre... Sola en un espacioso tres ambientes casi vacío, sola como mucha de la gente que baila el tango en París. Los crepúsculos se estiraban hasta el infinito, no llegaba a dormirme, ni a escribir tampoco, las noches me parecían infranqueables. Por esa época me había vuelto experta en noches blancas. Salía a andar en bicicleta en plena noche y aceptaba con gusto todas las invitaciones a las ferias, salones, mesas redondas u otras manifestaciones literarias, ya fuese en Saint-Étienne, en Saint-Chamond o en Saint-qué-importa-dónde, mientras hubiera que salir de París y no pasar la noche en casa. Necesitaba que me abrazaran, necesitaba abrazar también.

Y además soy curiosa. Soy curiosa de los demás. La gente me interesa, todos, sobre todo aquellos que no se me parecen. Y el tango es un ambiente ideal para eso: en el tango no hay ambiente, en el sentido de que la gente proviene de todos los ambientes. Al principio no dejaba de maravillarme; en una misma noche podía bailar con un peluquero, un flautista, un desempleado de larga data, un abogado internacional, un electricista, sin hablar del hecho de que el flautista era de los suburbios, el peluquero lionés, el electricista un argelino sin papeles, y así sucesivamente... Yo no paraba de hacer preguntas: ¿qué hace usted en su vida? ¿Peluquero? ¿Peluquero a domicilio? ¿Cómo le van las cosas a un peluquero a domicilio? ¿Es usted divorciado? ¿Y no tiene hijos? ¿Qué hace por la noche, cuando no va a bailar? ¿Duerme bien? ¿Qué edad tiene? ¿Dónde ha aprendido el tango? ¿Y por qué el tango, justamente? Al cabo de algún tiempo, cuando empecé a bailar un poco mejor, corté los interrogatorios. Incluso trataba de evitar hablar. Había cosas más interesantes por descubrir sin pasar por la palabra. Que el electricista argelino de Marsella, por ejemplo, un muchacho tímido de rostro banal, cabello tupido y dientes demasiado separados, en realidad no era tan tímido, era franco, ardiente, convincente, incluso audaz, flexible y suave de pelvis, con un sentido del ritmo verdaderamente imperial, debe ser un buen amante, creo yo. Claramente mejor, en todo caso, que el abogado retirado, un buen chico de cabellos plateados que se perfuma con *Égoïste*, autosuficiente con sus maneras civilizadas, egoísta precisamente, y amanerado, mirándose a sí mismo, incluso mientras baila, y que no baila más que para sí, sin dejar de admirarse en el espejo de la persona que tiene enfrente. O el peluquero a domicilio, a fin de cuentas pedante, quisquilloso y tibio, a pesar de su modo de bailar el tango que te llena la vista. O el desempleado, al que hay que evitar, no por desempleado profesional, sino por mezquino y sin vida, una bolsa de papas que se desplaza a paso de tango. Y aún el músico, el flautista, director de un conservatorio suburbano, en fin, me pregunto si es eso en realidad, porque la musicalidad, en todo caso, él no sabe lo que es. Me gustaba mucho este acceso al otro lado del decorado. Empezaba a tenerme confianza, un poco demasiada tal vez. Ya que uno también puede equivocarse, como yo en el caso de Fabián. Pero me estoy anticipando...

Coco Días lo dice de otro modo. "El cuerpo no miente...", repite. También dice: "Cuando uno baila, puede tocar el misterio del otro". O: "Uno baila para sentir su cuerpo". O también:

"Cuando la cosa funciona bien con el cuerpo del otro, no hay necesidad de hablar".

También me dice: "No te cuelgues de mí como si buscaras un salvador...".

Es nuestra cuarta o quinta vez en la Porte Dorée. Me siento en el suelo entre tango y tango, al lado del gran conejo de sonrisa idiota. Tengo puestos mis viejos zapatos rojos, una pollera negra, un buzo de algodón. Puedo sentir claramente que hay algo que no va. Sin embargo él no me dice que estoy llena de defectos y que hay que volver a empezar de cero (como casi siempre los profesores de tango en París para asegurarse alumnos). Tampoco hace de los ochos, giros y voleos toda una ciencia. Parece dar a entender que un ocho es un ocho, el hombre que hace pivotar a la mujer delante de él en un movimiento circular que se parece a un ocho. Y un giro un giro, la mujer que gira alrededor del hombre, como una luna alrededor del sol. Mientras que un voleo se parece a un latigazo, ejecutado por una pierna al mismo tiempo que las caderas están girando, qué puede ser más simple... Tal vez, sí, eso depende, en todo caso, él de mi manera de girar no dice nada, de pivotar con mis caderas, de dar latigazos con mis piernas. No me corrige. Me dice que no apoye demasiado mi cabeza contra la suya, es molesto, en fin, a él no le gusta –y que escuche la música, la música y también las palabras, no hay que olvidar las palabras. Después ajusta mi paso al suyo. Es importante, tenemos que ir juntos, dice. Pero eso es todo. No apoyar demasiado la cabeza, escuchar la música, plegarme bien a los pasos de él... Y después ir a tomar un té con galletas secas ahí al lado en la cocina.

¿Entonces es así como pretende enseñarme a bailar, hacer de mí una bailarina, como con Cremilda o la Morocha? ¿O con Pampita? ¿Se parecen a esto, las clases de Coco Días? Y pensar que he abandonado a Agathe por alguien como él, me digo (no me gustan las inversiones), sacándome mis viejos zapatos rojos mientras Coco pone a calentar el agua en la cocina.

Pero tal vez no haya nada que decir, justamente. Nada que decir, nada que hacer, nada que sacar de mí. Porque soy una bailarina sin vuelo, eso salta a la vista, una bailarina sin estilo, mediocre, sin interés… Que no tiene gracia, ni inspiración, que no se atreve, no se despliega, no se suelta, no está verdaderamente cómoda en su cuerpo, no se asume (lo repito para no olvidarlo). ¿Por qué, entonces, querer aprender esta danza que no me pone simplemente al desnudo, sino que me humilla al mismo tiempo? ¿Por qué insisto? ¿No tengo nada más que hacer? ¿Qué cosa fabrico yo aquí, sentada en el suelo junto a este conejo beatífico? ¿Qué es, esta historia?

—¿Vienes, Balérie? –me grita desde la cocina.

Voy, voy… Me instalo al lado de la pileta, con mi cuaderno color arena sobre las rodillas. Lo miro hacer: dos tazas, dos saquitos de Lipton, dos terrones de azúcar, dos cucharitas, y ya conozco lo demás… Hoy no tengo ganas de hablar. De escuchar tampoco tengo ganas. Querría irme ahora, enseguida, en plena ceremonia del té con galletas. Querría abandonar este pequeño departamento amueblado con un mal gusto muy seguro de sí mismo, y a mi maestro de tango, muy seguro de sí mismo también. Pero no soy simplemente una bailarina sin vuelo, sin gracia, sin inspiración, que no se atreve, que no se suelta y todo eso… También soy, ay, una persona seria y aplicada, como Agathe. Si yo empiezo algo, voy hasta el final. Y cargo las tintas, escarbo. Ése es tal vez uno de mis rasgos principales, hay que decirlo… Cuando salgamos de aquí, voy a agarrar mi bici y atravesar París como solía hacerlo antes de que Félix y su padre se mudaran. Atravesaba París porque no podía dormir, porque me atravesaban demasiados pensamientos; entonces, para dejar de ser atravesada, soy yo la que atraviesa.

8

Los hombres no tienen mucha imaginación, presiento (lo cual es todavía peor que decir "pienso"), algunas horas más tarde, sentada en el bar del Latina. En el fondo son todos iguales. Obedecen a los mismos clichés, con algunas variaciones y desvíos, es triste, pero es así. Así que he cruzado todo París. Tomé por callecitas, pasajes, pero también por bulevares, rotondas, plazas y puentes… Pasadas las diez me detuve en un bar cerca de la Bastille, a comer un sándwich y tomar una cerveza, después anduve siguiendo el Sena, por los muelles… No di un rodeo hasta mi casa para cambiarme, peinarme, maquillarme, perfumarme. Llevo mis viejos zapatos rojos, mi pollera negra, y el buzo escote en V, como en la Porte Dorée. Tengo un curioso peinado, si se puede llamar "peinado" a una minúscula cola de caballo, y ni siquiera he hecho lo mínimo indispensable: pasar por los baños para pintarme un poco los labios y sacarme las medias de nylon.

"Hay que tener la piel desnuda para hacerse invitar a bailar", me decía una mujer, no hace tanto tiempo de esto, en esta misma tanguería parisina (y la única digna de ese nombre), mientras se comía una empanada acompañada de ensalada verde. Una morochita menuda de unos cincuenta años, funcionaria en el Ministerio de Agricultura, sonriente y muy mal vestida, siempre dispuesta a trabar conversación, sentada en la misma mesa cerca de la pared para comer algún bocado, beber una cerveza y eventualmente hacer uno o dos tangos, si por azar, nunca se sabe, o por milagro, a alguien le daba por invitarla. "¿La piel desnuda? ¿Le parece que las cosas son tan simples? —Claro que sí… Y además es mejor ser rubia, también… —No… —Sí… Y joven, eso es evidente. Son todos iguales, en fin, casi… Mire, observe… Ya me dirá usted si tengo razón…" Yo miro, observo, y sobre todo no quiero pensar en mí. Escucho la música melancólica y las palabras tristes y lúcidas que –si yo me dejo ir– me desgarran el corazón. ¿Realmente estoy segura de que esta salita en un primer piso de un cine de barrio es el mejor lugar en todo París para salir y pasar la noche en él? ¿No me encontraría mejor sentada a la mesa de un restorán elegante y austero, frente a un hombre igualmente elegante y austero, que firma con sus cuatro iniciales y puede mantener una conversación infinitamente más sofisticada que los bailarines de tango (su último ramo de flores vino acompañado de estas palabras: "¿Para cuándo nuestra primera cena íntima?"). ¿O hablando con Natacha de nuestros libros en curso? Siempre aprendo algo con ella, pero siempre que la mayor parte del tiempo pueda entenderlo al revés: si a ella le parece que mi título es malo, eso me deja tranquila, es bueno; si ella piensa que las ideas que estoy desarrollando en mi novela son interesantes, apasionantes incluso (esa palabra es suya: apasionante), yo me empiezo a hacer preguntas, muchas preguntas. Habría podido quedarme viendo algún DVD, un viejo Rossellini que me gusta, o leer algunas páginas de Tolstoi que también me gusta… O irme sencillamente a la cama con Robert y enviarle algunos SMS a mi hijo, en este momento es mi modo de comunicación preferido. En lugar de lo cual me quedo de plantón en el bar, entre dos desconocidos y delante de una cerveza *Quilmes*, escuchando los tangos nostálgicos u otras milongas tristes que me dicen que primero hay que saber sufrir, después amar, después partir, y al fin andar sin pensamiento…

Me saco y vuelvo a poner mis grandes aros negros para tener las manos ocupadas. Y me repito, por segunda vez desde que estoy ahí, que los hombres, en lo que concierne a las mujeres, no tienen mucha imaginación. Porque la empleada del Ministerio de Agricultura tiene razón: se dirigen primero a las jóvenes, a las rubias, si es posible a las escotadas, incluso si son bailarinas mediocres. En cierto sentido, mejor todavía; así pueden lucirse, dar consejos y pasar por lo que no son: atentos, abiertos, galantes, generosos. No se van a arriesgar con una castañita de mediana edad, mal vestida y lúcida en lo que respecta a ellos. O con la mujer severa de anteojos

de marco metálico, de pie contra la pared, se diría una maestra de
escuela que tiene ganas de mandar todo a paseo después de una
larga jornada de clases y problemas de toda especie. O con la des-
conocida en el fondo del salón, sin duda una turista, alguien de
paso que, después de todo el tiempo que se ha pasado sentada
delante de su jugo de naranja, se debe sentir invisible. O incluso
conmigo, ni rubia, ni morocha, ni joven, ni vieja, ni tampoco escotada, con una banal pollera negra, un bucito de algodón, unos viejos zapatos rojos, y por si fuera poco pensativa, no muy atrayente,
chispeante ni interesante en alguna otra forma, sobándome los
aros, preguntándome desde hace por lo menos una hora si me
quedo —es tarde o más bien muy temprano por la mañana— o si
agarro otra vez mi bici y me vuelvo a casa.

Es en esos momentos en que no pasa nada, cuando el tiempo se
atasca y se estira al infinito, que de un instante al otro, a menudo
todo se acelera. Un baile de tango, una milonga, es como la vida,
más concentrado. De repente, sin que uno se lo espere realmente,
recupera su conexión con el mundo, el instante se pone a temblar,
a flamear. Es así como más tarde, en Buenos Aires, me encontraré
con Fabián. Y es así como esta noche, a las dos y media de la
mañana cuando ya no puedo sacarme y ponerme más los aros en
mis pobres orejas —es enervante, al fin y al cabo—, comienzo a bailar
con alguien a quien jamás he visto, a quien no conozco.

—¿Quieres hacer algunos tangos conmigo? —me pregunta.

Claro que quiero, por supuesto, aún si él no es un gran bailarín,
no, eso se siente de entrada, al cabo de unos pocos pasos. No es
Coco Días, que sabe de memoria cada fragmento de canción y te
inventa una coreografía en el acto, para ti, para el tango que tú
escuchas con él, para que el instante siga flameando. Tampoco es
Fabián, que baila como si hiciera el amor. Sin embargo no está mal.
Ya es algo que no me arrastre en una sucesión de figuras complica-
das y de fioríturas inútiles, *pour la galerie*, para hacerse ver, para
mostrar que sabe hacerlo, como muchos bailarines de tango parisinos. Tiene buen oído, da pasos largos, se mueve bien al ritmo. Es
sencillo, fluido, musical.

—¿Te va? –me pregunta entre dos tangos.

Me va. Mi pecho contra el suyo, mi rostro apoyado en el de él —no es ni alto ni bajo, tiene una piel suave para ser hombre y exhala una agradable mezcla de perfume, transpiración y frutos exóticos–, puedo hacer lo que más me gusta: cerrar los ojos y escuchar esta música. "Te reís cuando bailás, me decía Bernardino en Buenos Aires. Se diría que tenés quince años. –Un momento... ¿Por qué me dices eso? –Porque es verdad, muchachita... Es así como yo te veo..."

—¿La seguimos hasta la *cumparsita*? ¿Quieres? –murmura sin soltarme.

Así que continuamos, muy pegados el uno al otro, cada vez más en armonía, bailando milongas asombrosamente lentas y melancólicas, o temas de Pugliese, muy lentos y melancólicos. Siempre es al final cuando pasan los tangos más bellos. El salón empieza a vaciarse, sólo quedan unas pocas parejas por la pista, y tres o cuatro personas acodadas en el bar. Nosotros seguimos como si no fueran las cuatro y media de la mañana y como si la *cumparsita* –el último tango– no estuviera por llegar de un momento al otro. Una vez que termina la *cumparsita* –la gente que no baila el tango no sabe lo que significa, "el último tango"– nos sentamos cada uno en un extremo del salón, para volver a la realidad, respirar un poco, vernos de lejos. Tenemos calor y los ojos brillantes. Después nos cambiamos de zapatos, nos abrigamos, hay que salir. Con tres, cuatro personas, bajamos la escalera que da al patio, y empujamos la puerta que se abre a la calle. El aire fresco nos hace bien. Lo siento caminar algunos pasos detrás de mí. Nuestros pasos resuenan en la noche desierta. La primerísima luna se está por ocultar a nuestras espaldas.

—¿Adónde vas?

Sólo ahora lo miro realmente: tiene algo de oriental en el rostro, la piel mate, frente pequeña, cabello corto y ensortijado. Una chaqueta de cuero, zapatillas de básquet: me pregunto si me daría vuelta al verlo pasar por esta misma vereda, en pleno día.

—¿Adónde vas? –repite.

—A mi casa… ¿Adónde quieres que vaya?

—Te puedo acompañar, si tú quieres.

—No, no… Estoy en bici.

—Voy en un taxi. Si me das tu dirección, claro… No lo lamentarás, créeme.

Sin esperar mi respuesta o como si ésta no tuviera ninguna importancia, se me acerca un poco más y me pasa la mano por el cuello, una mano firme y fresca.

—¿Y? ¿Qué dices?

9

Tuve frío al volver a casa. Me puse un buzo y me senté en el
sofá. Robert acudió enseguida. Natacha tenía razón: no le gusta
estar solo. O más bien: prefiere estar sobre mis rodillas. Nunca me
acuesto enseguida cuando vuelvo del tango. No serviría de nada,
jamás tengo sueño después de haber bailado. Y además me encanta
ese silencio de la noche. A esta hora, apacible y abandonada, me
siento parte del universo. Así que caliento un tazón de leche, le
pongo miel y me siento con Robert frente a la puerta-ventana que
da al balcón; después de ya casi un año y medio, comenzamos a
tener nuestros hábitos.

Así que tomo leche caliente y contemplo lo que queda de la
noche ante nosotros. Cuando suena el timbre, me sobresalto como
si no supiera quién está en la puerta. Pensaba que no vendría; estaba
segura, en realidad, de que no vendría. Desde que vivo sola en este
departamento, no estoy habituada a que vengan a casa, sobre todo a
esta hora. Podría decirlo también de otra manera: he tenido más
hombres que Agathe en mi vida, es cierto, pero tampoco es cuestión
de vanagloriarse. En todo caso, hace mucho tiempo que no hago el
amor; ni siquiera me acuerdo de la última vez. Y además yo… cómo
decirlo… puedo ser tímida, torpe, imprevisible. Cuando Tito Morales –bailando, sin previo aviso– apoyó su mano en mi vientre, y después me quiso besar, siempre bailando, allá arriba, en la terraza,
frente a Santa Rosa de Lima, le di una bofetada; hay que decir que
después estaba tan aturdida y desconcertada por mi propia reacción,
que fui yo quien lo besó, lo besé apasionadamente, lo apreté contra
mí y le acaricié la espalda; él no tenía más que dejarse hacer. "Eres
imposible… Nunca sabes lo que quieres…", me ha repetido durante
años el padre de Félix. No era verdad: durante los once años que pasé
con él, yo sabía muy bien lo que quería: un buen padre para nuestro

hijo, un buen amante para mí, un compañero despierto para las discusiones literarias, un hermano mayor para mis arrebatos, todo eso en una sola persona. En lugar de lo cual, tuve un psicólogo a domicilio, un eyaculador precoz, un intérprete profesional de mis sueños, psicorrígido y egocéntrico detrás de su aire generoso y sonriente, que siempre sabía mejor que yo lo que yo quería o no quería.

Pongo a un costado a Robert y voy a abrir la puerta. Siento temblar ligeramente mis rodillas. ¿Acaso sé lo que quiero, ahora?

—He venido a pie... Imposible encontrar un taxi... —dice al entrar, tendiéndome su chaqueta.

Avanza por mi living y mira a su alrededor, como si fuéramos viejos amigos y yo me hubiese mudado recientemente.

—Esto es lo que se llama minimalismo, ¿no? Un sofá, una alfombra, eso es todo...

—El resto lo despachó el padre de mi hijo. Se mudaron hace un año y medio. Vivo sola.

—¿Sola? ¿Tienes un gato?

—Es el gato de una amiga. Se llama Robert. Es viejo. En fin, en realidad no sé... Es ella la que lo dice. ¿Quieres saber alguna otra cosa?

—¿Qué se bebe?

—Leche caliente, con una cucharada de miel de castaño?

Nos instalamos sobre el sofá, el único lugar donde uno puede sentarse en este departamento. Lado a lado, con un tazón de leche con miel entre las manos. El gato quiere volver a ubicar su lugar sobre mis rodillas.

—No estoy para el *ménage à trois*, Robert... Esta noche no, en todo caso... Lo siento, mi viejo... —dice él apartándolo y apoyando su mano sobre mi rodilla.

No me parece nervioso. Tiene una voz agradable y calma. Me siento bien al lado de él. Tomamos nuestra leche a pequeños tragos, nos quedamos callados. Es algo completamente nuevo para mí sentirme tan cómoda con alguien antes de ir a la cama con él. Porque nos vamos a ir juntos a la cama, no hay ninguna duda, es para eso que ha venido, es para eso que está sentado a mi lado y que bebe leche caliente. ¿Qué otra cosa habría podido proponerle? ¿Qué se puede tomar a las cinco de la mañana justo antes de pasar a la cama? Espero que tenga un preservativo encima.

Se vuelve hacia mí y me mira en silencio. ¿Y si me engaño? ¿Si no fuera eso? ¿Si no le gusto? ¿Si se arrepiente de haber venido? Si se está diciendo que no le gusta mi pelo, esta estopa enrulada, atada en una pequeña cola de caballo... Tampoco le gusta mi piel, demasiado blanca, ni este buzo negro, nada fatal, es verdad. Sin hablar del hecho de que no lo conozco, que soy más que imprudente al hacer entrar en casa a alguien a quien veo por primera vez y que puede hacer conmigo lo que le dé la gana.

—Vamos a empezar por los aros... –dice.

Se acerca un poco más, luego interna las dos manos en los huecos de mi cuello, como lo hizo antes en la calle. Las manos frescas, incluso frías que, de pronto, me hielan la sangre.

—¿Qué pasa? –pregunta sonriendo–. ¿No me digas que me tienes miedo?

No, sí, en fin, no sé. Bajo los ojos. Apenas me atrevo a respirar. Mi corazón late a todo vapor. Siento sus dedos índice y mayor que ascienden por mi cuello, lentamente, suavemente, que tocan mis orejas, las masajean por delante, por detrás, y luego, con un leve gesto decidido, lúdico y sensual, sí, eso es, decidido, lúdico y terriblemente sensual, me quita los aros. Yo me quedo boquiabierta. Eso no me lo esperaba, no. No me habría sospechado que ese gesto, casi nervioso cuando yo lo hacía, podía ser así de erótico.

—¿Por qué me miras así? Dime lo que te agradaría, para eso estoy aquí...

Yo no sé cómo lo miro. En todo caso no consigo reponerme, sigo con la boca abierta. No estoy acostumbrada a que los hombres me hablen de esta manera. Entonces me levanto y lo llevo al dormitorio: estaremos mejor sobre una cama de verdad (en fin, es un colchón puesto directamente en el suelo). Enciendo la lámpara junto al colchón. Después me vuelvo a poner mis aros, las grandes bolitas negras, y le pregunto si puede volver a empezar con aquello. Es la primera vez en esta noche que él se echa a reír.

—Eres increíble… Eres graciosa… –dice y vuelve a poner sus manos en mi cuello.

Después, todo va muy rápido. Sacar los aros, sacarnos los buzos, el suyo y los dos míos, sacarme la pollera, mis medias, la ropa interior, ponerse un preservativo…

Es un hombre seguro de sí, que no tiene miedo, que habla mientras hace el amor. Y habla muy bien, dulce, tierna, fraternalmente, como los hombres y las mujeres deberían hablarse, me parece a mí. Aunque yo no oigo todo lo que dice; estoy encima de él, luego debajo de él, luego de un costado y después del otro, y siempre con la boca abierta, el aliento entrecortado, estupefacta, radiante, llevada a una serie de orgasmos, arrebatada por una ola que no me suelta, que me arroja siempre más lejos, lejos de él, lejos de mí, lejos del mundo entero…

—Despiértame en una hora, por favor, tengo que irme… –murmura, agotado, cayendo en el sueño mientras habla.

Lo observo dormir, acaricio los pelos de su pecho; es un hombre peludo, un verdadero oso. No salgo de mi asombro, como Agathe con el mozo de café que destrabó el botón del aire acondicionado. Tal vez también pueda ser así, simple como un buenos días, caliente como en el cine, impúdico como lo de Virginie Despentes, magnífico como… como no sé qué. Me cuento montones de cosas de esa clase, para no zozobrar, para despertarlo como él me lo pidió. Cuando unos instantes después –en realidad no son unos instantes, es una hora y media, incluso dos– abro los ojos, ya es de mañana. Lo sacudo suavemente, murmuro que se tiene que despertar, Dios mío, qué lástima, realmente, lamento haberme dormido, y más todavía tener que despertarlo, me habría gustado mucho que se quedara conmigo, pero no es posible, se tiene que ir, es lo que él había dicho por lo menos. Él también abre los ojos, no enseguida, pero lo hace, me observa tan largamente que me pregunto si sabe dónde está y quién soy yo. Después agarra su reloj al pie de la cama. Se queda unos instantes sin moverse, mirando el techo, como si de repente tuviera que resolver un enigma o un problema matemático.

—Lo voy a intentar… –dice al fin, levantándose bruscamente, empezando a calzarse las ropas a toda velocidad.

—¿Intentar qué?

—No perder mi avión.

—¿Tu avión a dónde?

—Vuelvo a casa… Pero antes tengo que pasar por lo de mi hermano a buscar mis valijas…

—¿Dónde es, tu casa?

—En Beirut… –dice, y se inclina hacia mí para besarme furtivamente en el cuello.

Cuando algunas horas más tarde por fin me levanto y me pongo a prepararme el desayuno, como todas las mañanas, me pregunto si no lo habré soñado. ¿Realmente he hecho el amor esta noche? ¿Realmente estuve en los brazos de un libanés que se volvió a su casa mientras yo seguía durmiendo? ¿Entonces puede haber algo de amistoso, incluso de fraternal o de alegre en el amor físico? Es un día espléndido, la clase de tiempo que me gusta más que ninguna otra cosa: fresco, soleado. El parquecito de frente ha adoptado sus colores otoñales; los árboles se empiezan a deshojar, el suelo se ha vuelto una alfombra multicolor; el otoño es lejos mi estación preferida. Pongo a hacerse unas tostadas, abro mi cuaderno de tapas color arena en la última página, leo en voz alta:

"Sabemos siempre cómo vamos a empezar un tango, pero nunca cómo lo vamos a terminar. Partimos hacia lo desconocido… Nos descubrimos…"

10

—¿Si mis padres bailaban el tango? ¿Bromeas o qué? Por supuesto que bailaban el tango. Se conocieron en el baile… Tenían diecinueve y catorce años, en Resistencia, en la provincia del Chaco… Pero yo eso ya te lo había dicho…

Sí, ya sé, ya me lo había dicho. Pero me gusta mucho cómo cuenta esa parte de su vida. A él también le gusta mucho contar la historia de sus padres. Los ojos le brillan, no se puede quedar quieto, pone otra vez el agua a hervir, rebusca algo dentro de su bolso. Yo, como de costumbre en el mismo sitio, con mi cuaderno color arena sobre las rodillas, intentando anotar casi todo lo que él dice. Así que tenían diecinueve y catorce años, en Resistencia, en el norte de Argentina: Carmen Antonio Días, también llamado Chiquito, y Florentina Trinidad Blanco, llamada Flora. Chiquito trabajaba en una bodega de vinos. Buen bailarín, seductor, galante, un picaflor, como ésos de los que la poesía del tango de los años veinte y treinta está colmada, se iba al baile todas las noches. Fue en una de las milongas del fin de semana donde el picaflor sedujo un nuevo pimpollo, llamado Flora (aunque en realidad él prefiriera a su hermana Lila). No tardó en desflorarla y en hacerle un crío, todo un clásico. Lo que no es tan clásico es que los padres de Flora lo hicieron poner preso; no hay que olvidarse de que la muchacha era menor. Chiquito, después de pasar tres días tras los barrotes, se vio obligado a consentir en casarse. Coco (el fruto de aquella desfloración después de la milonga) casi no se acuerda de sus primeros años en Resistencia; en total, no pasó allí más que cinco años. Al cabo de cinco años, Flora tomó el tren para Buenos Aires, llevándose a sus dos hijos (entretanto, su joven esposo le había hecho otro bebé, una niña, llamada Isabel). Hay que decir que cuando ella dejó el domicilio conyugal, éste ya no era tan conyugal: Chiquito, padre de dos

hijos, seductor, galante, picaflor que seguía frecuentando las milongas, por primera vez en su vida se había enamorado. Es Coco quien
lo dice (ese hijo abandonado, convertido por la fuerza de las cosas
en el hombre de su madre): "¿Y qué quieres...? Se enamoró. Era su
naturaleza... Intentó luchar contra eso, hasta vino a buscarnos,
pero no funcionó...". Lo dice con esa misma sonrisa con la que
más tarde me lo presentará en Buenos Aires: un viejito bonachón,
de tez oscura, ojos desvaídos, casi amarillos, un fino bigote, cabellos teñidos, cuidadosamente peinados hacia atrás, que se mantenía
erguido, siempre seductor, siempre galante, incluso a los setenta y
cinco años. Uno puede adorar a sus padres cuando joven, y decep-
cionarse de ellos al llegar a adulto, o viceversa, aunque eso es más
raro. Coco no hizo ni lo uno ni lo otro. Cuando a los diecinueve
años se tomó el tren al Chaco para ir a ver quién era realmente su
padre, no podía hacer otra cosa que comprenderlo y hasta amarlo.

—En el fondo, sabes, seguía siendo el mejor de todos los hombres de mi madre...

—¿Ella no le guardó rencor?

Coco mira el vacío. Su madre, ésa es otra historia. Cuando Flora
tomó aquel tren dejando el domicilio que ya no era conyugal, no
partió hacia Buenos Aires. Ella no se llevaba a sus hijos a la ciudad,
a esa gran metrópoli orgullosa y cosmopolita en la que los choferes
de taxi usaban guantes blancos. Se bajó en los suburbios del norte,
en esa misma estación de José León Suárez en cuya entrada el hijo
iba a lustrar zapatos y vender diarios. Pero no se detuvo en el centro
de Villa Ballester, habitado por gente humilde. Siguió hasta los des-
campados, hasta ese asentamiento precario donde vivía su hermana
Lila y aquellos que eran más pobres que los pobres: aquellos que no
tenían nada. Es allí, a mil doscientos quilómetros de su casa, en una
casilla hecha de cartón y chapa acanalada –un rancho– donde instaló a su menuda familia e intentó sobrevivir. Allí es donde Coco
Días iba a pasar la primera parte de su vida. Es allí donde iba a vender diarios y lustrar zapatos, jugar al billar, meterse en líos, conocer
a Ocho, aprender a bailar... Cuando habla de su barrio con la
emoción en la voz como todos los argentinos, piensa en esa villa

miseria en el gran Buenos Aires. Pero la vida no era nada fácil para Flora y los suyos. Flora consiguió trabajo como sirvienta en casa de un médico en Martínez y tuvo que separarse de su hija. ¿Separarse de su hija? ¿Qué quiere decir con eso? No la podía tener consigo; una nena de esa edad no podía quedarse sola en ese barrio. Habrían podido robarla, violarla... ¿Robar? ¿Violar? Pero claro, por supuesto, yo qué me creo... Me ha dicho una y otra vez que vivía en un mundo violento y fuera de la ley. Así que Flora entregó su hija a personas que tenían los medios para mandarla a la escuela. Con Coco iban a verla de vez en cuando llevándole algunos regalitos. Su hermana se sentía doblemente abandonada: por su padre y por su madre.

—¿Cómo era Flora?

Sigue con esa mirada vacía. ¿Cómo era su madre? Flora era morocha, de pelo enrulado, con un cierto aire a Fanny Ardant, la boca ligeramente prominente; Fanny Ardant es formato reducido, y más musculosa. Una linda mujer, con carácter. Se consiguió un hombre, más bien habría que decir: un protector, el Nene González, un puerco, jugador, tramposo, estafador, alcohólico. Vivía en la casa de ellos, aunque al mismo tiempo tenía en sus manos a otras mujeres. Incluso llegó a casarse, con una tal Yolanda (hay que retener este nombre). Era el Nene González quien llevaba a Coquito a las salas de juego, quien le enseñó a jugar a las cartas, al billar, a la taba, un juego de apuestas prohibido... Lo trataba mal, las bofetadas volaban a troche y moche, sobre todo cuando tomaba. Él es la causa de la gran cicatriz que tiene Coco en la espalda. Una noche, al volver a casa, Coco se encontró con un tipo, mandado por Nene González, que se quería llevar a su madre a la fuerza. Coco se interpuso, el tipo le clavó su cuchillo en la espalda. Si Coco no hubiera tenido un amigo, conocido por su sangre fría y su presencia de espíritu, un grandote forzudo llamado Manosanta, no habría sobrevivido. Ya que Manosanta había comprendido de inmediato que no había tiempo que perder. "Yo veía líneas blancas por todas partes... Cría que ahí se acababa todo...", cuenta Coco. El bien denominado Manosanta lo alzó en brazos y corrió con él hasta la

ruta. Lo apoyó en el suelo en el medio mismo de la avenida Már-
quez, era la única solución: el primer auto, obligado a detenerse, los
llevó a toda velocidad al hospital de San Martín. Al día siguiente,
cuando Coco abrió los ojos, ahí estaba su madre, llorando a su
lado. Ella se hizo tatuar el nombre de su hijo en el brazo. A Nene
González lo mató Yolanda, algunos años después: un tiro de revól-
ver, y el juego se acabó para él. En cuanto a Flora, ella tuvo otros
hombres. Incluso se casó, otra vez, con un cocinero llamado
Alfredo Carossi, un gordo, para nada mejor que los otros, no, en
realidad no. A los treinta y nueve años, dio a luz por cesárea a otro
hijo, Gustavo, más o menos por la época en que Chiquito, su primer marido, tuvo un hijo también llamado Gustavo. Pero la cesárea de Flora se saldó con una infección; dos semanas más tarde,
murió. Por falta de plata, dice Coco. Alfredo Carossi no quiso vender su viejo auto para salvar a su mujer. Coco se puso loco, le dio
un balazo en el pie. "No lo quería lo suficiente para matarlo e ir a
pudrirme en prisión", dice. En todo caso, ya no tenía nada que
hacer en su barrio, nadie a quien ayudar, a quien proteger... Nadie
de quien estar celoso, tampoco; podía irse.

—Yo estaba celoso de los hombres de mi madre. La quería para
mí. Como todos los varones. Es normal... En fin, no, no era normal. No vivíamos una vida normal.

11

—Hoy está pensativa, Valérie…

—¿Pensativa?

—Sí… Pero eso le queda bien.

Me resulta difícil hacer la transición entre la vida de Coco y la mía. Todavía estoy con Flora, Chiquito y los demás.

—No hace una hora estaba en la Porte Dorée…

Se lo digo para que no me lo pregunte; no me gusta la entonación que tiene su voz cuando pronuncia esas dos palabras: Puerta Dorada.

—¿Por eso se ha vestido de esa manera?

Bajo la vista como si no supiera cómo estoy vestida. Llevo la misma pollera negra que de costumbre, una blusita de seda, verde con motivos, comprada en un anticuario cerca de casa, unas medias gruesas.

—¿De qué manera?

—Más bien rara…

Vuelvo a bajar la vista hacia mis ropas. Si las comparo con su traje gris oscuro, absolutamente impecable, y con su camisa a pequeños cuadrados azul cielo, hecha a medida en Amsterdam, tiene razón: resulta más bien raro.

—Mi hijo me dijo más o menos lo mismo la última vez. No, me dijo que me vestía cada vez más sexy…

Sonríe mostrando sus dos dientes de adelante, que se encabalgan y le dan cierto aire travieso. Lo conozco desde hace un mes, lo he visto en total tres o cuatro veces y es la primera vez que le descubro esa sonrisa maliciosa.

—¿Tiene usted un hijo?

—Tiene trece años, se llama Félix, vive con su padre y duerme de cuando en cuando en mi casa. Viernes o sábado… Cuando no prefiere estar con sus amigos… Espero con impaciencia el día en que les diga: "Lo siento, chicos, esta noche salgo con mi madre. Hace mucho que no nos vemos. Tenemos un montón de cosas que decirnos. Además, ella se viste cada vez más sexy… ¿Y usted, tiene hijos?

Él sigue sonriéndome. Entonces le sonrío, yo también. Acabo de darme cuenta de que me gusta estar cerca de él.

—Ya son grandes… Hacen su vida. ¿Qué desea usted beber?

Me había olvidado de que era un hombre que hablaba con tanta corrección. Miro la hora en mi reloj y echo un vistazo a ese bar menos oscuro y chic que de costumbre. ¿Y qué voy a tomar a las siete de la tarde junto al canal Saint-Martin?

—Le gusta mucho jugar con sus aros. Hoy no eligió los mismos que la última vez.

—No…

—¿Por qué sonríe?

Se acerca un poco, descruza sus largas manos huesudas.

—He comprado sus dos libros… –dice, sin esperar mi respuesta, súbitamente serio.

Ha hecho bien en pasar a otra cosa. Cuando me siento cómoda con alguien, cuando no pienso en todo lo que no anda bien, mi departamento vacío, Félix, su padre, el hecho de que no consiga reunir los dos extremos, cuando me siento despreocupada y ligera como esta noche, me puedo poner innecesariamente confiada. Habría sido perfectamente capaz de decirle que de ahora en adelante mis aros me hacen pensar en un desconocido que sabe cómo apañárselas, y no sólo con los aros. Afortunadamente no lo hice, porque es la primera vez desde que conozco a este hombre elegante y cortés que me siento realmente bien con él. Me gusta el giro que ha adoptado nuestra conversación. Y además hacía mucho tiempo que no hablaba de mí misma de esta manera desapegada, como si se tratara de alguna otra persona. Me gustaría que por fin se decidiera a acercar sus largas manos y apoyarlas sobre las mías. ¿Pero qué dijo en realidad? Que ha comprado mis dos libritos…

—Realmente eso no va a cambiar mis cifras de venta. Y voy a tener que seguir trabajando de intérprete y traductora…

—¿Porque también es intérprete?

Oh, no, hablemos de otra cosa. Un congreso mundial de peluquería, ¿eso le interesa? ¿La excavación del túnel para la línea ferroviaria Lyon-Turín? O bien, atención, secreto de defensa: ¿el salón aeronaval, Le Bourget 2006? O mejor todavía: ¿los seis protocolos de la Convención Alpina, con sus múltiples e inútiles grupos y subgrupos de trabajo? ¿O la aplicación de masilla en los alerones del nuevo Clio? No demasiado, verdad, por no decir para nada. A mí tampoco. No me apasiona en lo más mínimo, ni por escrito ni oralmente, aunque a veces pueda reírme como loca con mis compañeras Gaby y Giovanna. Por otra parte, eso es lo que más me gusta de ese trabajo: Gaby y Giovanna. Gaby, la alta y bien formada que seduce a todos los tipos que se le acercan a menos de dos metros. Giovanna, la petisita y risueña que hace karate. Gaby traduce del alemán y del inglés, y nosotras con Giovanna, del italiano y el español, pero al francés, mientras que Gaby es al alemán. Son las únicas intérpretes con las que se puede hablar, muy seriamente incluso, al mismo tiempo sin tomarse demasiado en serio. Los otros, todos los otros, es algo mortal... Todo es mortal en ese trabajo. Hablar en lugar de los otros, ser invisible, no tener voz ni voto, no tener voz en absoluto; una voz propia, quiero decir. Justamente nada que decir. Pero me tengo que ganar la vida, sobre todo desde que pago yo sola el alquiler del departamento en la rue Folie-Regnault.

—Soy una mala intérprete. No trabajo lo suficiente. No miro la tele, ni siquiera tengo una. No leo los diarios especializados, estilo *Économiste* o *La bourse à l'heure vers le crépuscule*... Ni siquiera *Science et Avenir*, claramente más abordable. No me estudio los *dossiers*, no preparo el vocabulario... Hablemos de otra cosa, por favor.

Me mira largamente como si acabara de descubrir otra cara mía que no se hubiera esperado.

—Me sorprendieron sus novelas. Sobre todo *Tout droit et à deux cents à l'heure vers le crépuscule*...

—"Contra" y no "hacia". Contra el crepúsculo. Eso lo cambia todo. Es largo para ser un título, lo sé muy bien... Difícil de retener...

—Es un bello título…

—Mhmm…

—También un bello libro.

—¿Le parece? No caminó para nada. Pero era previsible, hay que decirlo. ¿Quién se iba a interesar en la historia de dos viejos? Su última jornada… Una jornada en la que no pasa nada además. Nada. Ni una sola escena de sexo… En fin, sí, una, cortita, pero en *flashback*…

—¿Qué está diciendo? Pasa un montón de cosas.

—De acuerdo, si usted lo dice. Se levantan, mis dos viejitos, toman su desayuno, después sus pastillitas, como todos los días después del desayuno, aún si eso no sirve de nada. Acomodan su departamento, pasan la aspiradora, riegan las plantas… Van a hacer las compras. Almuerzan, como todos los días, a una hora precisa, mirando los informativos de la tele. Toman un café… Tocan la misma obra de Brahms a cuatro manos, como a menudo. Un pequeño vals no demasiado complicado, que tocan muy bien, por otra parte.

—Valérie…

—Y a eso de las cinco, cuando el cielo comienza a ponerse rojo por el oeste, ya que estamos en invierno…

—Valérie…

—…se suben en su auto viejo que todavía anda muy bien. Se dirigen a la autopista. Se ponen a rodar cada vez más rápido… El cielo delante de ellos se pone cada vez más hermoso e intenso…

—Valérie…

No sé por qué me dejo llevar así. Yo también me decepcioné por la indiferencia con la que fue recibida esa novela corta. Un periodista de *Sud-Ouest* había escrito un artículo, el único, en fin el único en haber señalado algo, en no haber dicho sólo banalidades. Apenas treinta líneas en las que habla de la construcción de la novela, de su rigor, de su ritmo… De la sobriedad… De la última frase que remite a la primera y cierra de ese modo el círculo. Eso es todo lo que se ha dicho sobre esos dos años de trabajo, de cuestionamiento, de dudas… Y supongo que me puedo considerar afortunada de que esas pocas líneas existan. Que la novela no haya caído completamente en el vacío.

—Discúlpeme... No sé lo que me agarra. Es como para creerme narcisista, igual que todos los escritores. Aún cuando, sinceramente, me esfuerzo por no serlo.

—Me habría gustado estar en el lugar de ellos...

No sonríe. Tiene una mirada que no le conozco. Tengo calor, querría cambiar de tema o tomar algo, eso es, ¿no deberíamos ordenar alguna cosa?

—Me gustaría que mi última jornada fuese como la de sus dos personajes. Me gustaría despertarme un día junto a la mujer con la que he pasado una gran parte de mi vida. Una vida de alegrías y de decepciones, de fidelidades y traiciones... De altos y bajos, como dice usted. Me gustaría comprender en sus ojos, sin que nos dijéramos nada, que así es, que esta será nuestra última jornada. Y vivirla plenamente, normalmente, antes de terminarla bellamente. Derecho y a doscientos por hora contra el crepúsculo. No me esperaba para nada ese final. Me impactó y me emocionó, no sé decirlo de otra manera. Quería decírselo. Es por eso que la llamé hace un rato. Usted iba en su bicicleta regresando de...

—... de la Porte Dorée.

—Eso.

Es en ese momento que apoyo mi mano sobre la suya. Él no se esperaba para nada este gesto. Yo tampoco; lo he hecho sin reflexionar, para que dejáramos de hablar, para marcar una pausa.

—Me parece que al fin deberíamos ordenar algo —dice al cabo de un momento.

12

Hay un episodio en mi cuaderno color arena al que he puesto de título *J.S. Bach.*

Les pongo títulos y fechas a nuestros encuentros de la Porte Dorée; así, al hojearlo, puedo ver la escena inmediatamente, a golpe de vista, rememoro palabras de Coco Días, detalles de su vida; después empiezo a reflexionar sobre la manera de organizarlos, o de transformarlos en novela.

Así que hay títulos como: *Si tú escribes sobre mí, yo te enseñaré a bailar* (inaugural, forzosamente...).

Tomamos nuestro primer té (o un retrato de Coco de niño en un asentamiento precario).

Está *Bebé Gaëtan* (o el episodio bastante gracioso con el hijo de Coco que ha perdido su escarpín, con algunos tangos en la pieza de al lado).

Está *Esto no va* (o la noche en que yo me sentía una bailarina mediocre, incómoda en su cuerpo, nada inspirada, nada segura de sí misma, y en que Coco no hizo nada para que yo cambiara de opinión, al contrario; la misma velada en que sin embargo, más tarde en la noche, yo iba a bailar bien, incluso muy bien, con un tipo que permanecerá en mis anales, los anales sexuales, quiero decir, si algún día tengo material suficiente para establecerlos).

Estará: *Fotos y conversación telefónica* (donde, sin ponernos de acuerdo, tomamos la misma decisión).

Estará: *Coco en Buenos Aires* (donde mi héroe no es el mismo hombre que en París, lo cambia todo, Buenos Aires, así que atención, no es cosa de risa, va en serio, hay que jugársela, no hay ciudad más orgullosa en el mundo que Buenos Aires).

Estará: *Almuerzo en familia* (donde por fin están todos reunidos alrededor de la mesa, salvo aquél al que yo espero).

Estará: *Río de la Plata* (o cuál es la diferencia entre una biografía y una novela).

Estará *Una jornada inolvidable* (donde Coco me lleva finalmente a su barrio, a su villa miseria, lo que equivale a decir al infierno; sin embargo es allí, en el infierno, en las antípodas absolutas de los museos, galerías y otros lugares en los que se expone el arte, donde he de ver una de las cosas más bellas que jamás haya visto, una pura obra maestra).

Y enseguida después: *Un taxi inolvidable* (donde el héroe de mi novela se duerme contra mi hombro como si él fuese mi hermano y yo su hermana mayor).

Y por último: *840* (o de cómo esas tres cifras se convierten por fin en una persona de carne y hueso, a quien yo le pido digo incluso que me tome del brazo).

Hay, desde luego, toda una serie llamada simplemente *Tangos* (o los tangos nuestros, mi aprendizaje, la ejecución de nuestro contrato, nuestro negocio, la parte "yo te enseño a bailar" de nuestro intercambio).

Y al final, corriendo hacia el aeropuerto, *La Puerta Dorada* (mayúscula o minúscula, es lo mismo, dicho de otro modo el tango es una puerta, una puerta de oro, si uno sabe abrirla).

Y también está *J.S. Bach.* Es un capítulo que, cronológicamente, viene más o menos en ese momento, cuatro días después de la noche con el hombre de las cuatro iniciales y antes de la irrupción del padre de Félix en mi casa (es decir en el departamento que era de los dos hasta hace un año y medio), un anochecer de noviembre, si no recuerdo mal. Pero es también un capítulo que se podría intercalar en cualquier parte. Fácilmente podría ser el comienzo: una escena extraña, casi muda, que sucede en un cuarto vacío, en esa entrada a París que lleva el bello nombre de Porte Dorée. O venir después de la larga noche con mi amante libanés. O después de la velada fallida con el hombre de las cuatro iniciales como una meditación sobre el tiempo, la única dimensión que realmente nos une o nos desune. O bien más tarde, en Buenos Aires, como un leitmotiv, una idea fija. O incluso al final, como una caricia, un consuelo.

En realidad esto ocurre unos días después del encuentro con el hombre de las cuatro iniciales, días en que justamente trabajé como traductora para una conferencia sobre el clima. En la cabina, al lado de Giovanna, en la mañana de un jueves, mientras ella hacía la traducción simultánea de las alarmantes declaraciones del delegado italiano sobre el calentamiento del planeta —treinta por ciento de las especies animales que desaparecen a causa de la ruptura del equilibrio natural, de los comportamientos extraños de ciertos animales como los guepardos que les tienen miedo a los antílopes, los elefantes que se acercan a los hombres— escucho los mensajes en mi teléfono celular. "¿Buenas noticias, V.?, escribe G. en el papel que tenemos entre las dos, donde llevamos adelante nuestra conversación privada, paralela a los problemas del planeta. —Cuándo se va a terminar, este puto calentamiento?, responde V. a su vez. —A las cuatro y media, si todo sale bien, escribe G. —Súper, responde V. —¿Por qué? ¿Tienes una cita?, pregunta G., mientras prosigue su historia con los elefantes y los guepardos, hay pájaros también, un montón de pájaros que ya no entienden nada de nada. —Sí…, escribe, lacónica, V. —¿Con quién?, pregunta G. —Con el personaje principal de mi novela, responde V. —¿Y qué más?, escribe G. en mayúscula. —Afuera está lindo…", responde V. en minúscula.

De modo que a las cuatro y media atravieso París de oeste a este —hace un tiempo espléndido de otoño— pedaleando lo más rápido que puedo. Un día, como todas las luces rojas que me paso, con todos los zigzags que hago entre los autos, voy a tener un accidente, es seguro, es inevitable, pienso en un destello de lucidez. Pero aquí estoy, a las cinco, cinco y cinco, delante del quiosco, cerca del metro Porte-Dorée, como ha puntualizado el héroe de mi novela en su mensaje. "A las cinco delante del quiosco, en la Porte-Dorée."

En ese momento, a las cinco y media pasadas, puedo hacer tranquilamente una digresión sobre el tiempo, la situación se presta, tengo todo el tiempo del mundo. Porque Coco Días tiene un problema con el tiempo, justamente, es un impuntual crónico, él no es como Agathe que, también, tiene un problema con el paso del tiempo, pero lo respeta escrupulosamente. Agathe siempre tiene miedo de ser sobrepasada por el tiempo, y no pienso tan sólo en su miedo a la menopausia, ella es sencillamente incapaz de observarlo, de sentir fluir el tiempo sin sentir que es ella la que se agota. Pero sé de lo que hablo porque yo también tengo problemas con el tiempo, nada que ver con los de Agathe y Coco, pero aún así. Tengo miedo de no darle mi propia impronta, de dejarle hacer su trabajo de destrucción y de borramiento sin marcar ninguna victoria sobre él, nada que lo sobreviva.

Observo pues la boca del metro, me impaciento, miro a mi alrededor. Jamás había escrutado tanto este perímetro preciso de la periferia de París, por otra parte no estoy, uno no está en París aquí, con todas estas altas palmeras, esta estatua de mujer dorada, este gran palacio colonial en el linde del bosque. La luz no es la misma que en París, no es el mismo horizonte, no es el mismo cielo. Lo mismo podría estar en Granada, en Lisboa, en Buenos Aires. Pero sí, es eso, en Buenos Aires, por supuesto, esperando al personaje principal de mi novela que me ha citado algunos pasos más allá de las palmeras salvajes para una lección de tango. El cielo juega con sus colores dramáticos como lo hace también allá, del otro lado de la tierra, pasa del amarillo al rojo, al malva, al violeta, y Coco Días sigue sin llegar. Mirando fijamente a la gente que sale del metro, también, me parece que ni siquiera lo voy a reconocer cuando por fin salga de la tierra. ¿No será por casualidad ese tipo con un sobretodo azul marino, con una gorra de fieltro en la cabeza y un bolso al hombro? Se diría un representante comercial, cansado después de una larga jornada de trabajo, y no un bailarín de tango. No sale del metro, llega por la vereda del bulevar periférico. No voy a su encuentro, lo espero en el mismo lugar, no lejos de las palmeras junto a las cuales estoy parada desde hace tres cuartos de hora.

—Ven –dice.

Caminamos en silencio hasta el parquecito delante del edificio, empujamos la verja, subimos al primer piso. Sigue pareciéndose a un representante comercial, agobiado por sus múltiples compromisos. En este fin de la tarde, el personaje de mi novela no es un apuesto bailarín de tango, con el pelo engominado, zapatos blancos, un lindo traje a rayas, sino este menudo representante comercial, a punto de quitarse el sobretodo y el sombrero inglés, nada menos, y de dirigirse a la piecita rectangular para poner música, como lo hace cada vez que entra. Y yo no soy una escritora, no hace falta más que verme con esta pollerita de lo más discreta, este buzo azul cielo y el fular al tono para convencerse; soy una mediocre traductora de conferencias, cansada después de una larga jornada de trabajo en la cabina, cansada del calentamiento climático y la catástrofe ecológica hacia la que nos dirigimos a paso acelerado.

—¿Vienes, Balérie?

Mira largamente el CD (que debe ser nuevo porque le acaba de retirar su funda plástica) antes de insertarlo en el aparato y de quitarse los anteojos.

¿Pero esto qué es? No es un tango, no es una milonga, no es un vals… Yo no atino a moverme, permanezco con la espalda contra la puerta; decididamente no entiendo nada de esta historia el día de hoy.

—¿Qué haces, Balérie? Ven… —dice por tercera vez.

Por fin me le acerco, deslizo mi brazo por detrás de su espalda, apoyo mi mano sobre su hombro.

—También se puede bailar el tango con otra cosa. Con esto, por ejemplo… —me dice al oído antes de guiarme a unos pasos muy lentos y muy simples.

¿Con "esto"? ¿Y qué es, "esto"? No es un tango, de eso no hay duda. Se diría que Bach… Se diría que una cantata de Bach. Cierro los ojos para oír mejor. Pero sí, si es Bach, es una cantata. Lo confirmaré más tarde, pero es eso, sin duda: bailamos con una cantata de Bach. No sé qué hora es, hace poco que ya se ha hecho de noche. No sé muy bien adónde estamos, en Buenos Aires, en Lisboa, en Madrid, o bien en esa puerta de París que se llama Dorada. Y tampoco sé ya quiénes somos, representante comercial, traductora de conferencias, escritora, bailarín de tango… Todo lo que sé, todo lo que puedo ver con los ojos cerrados en este instante preciso que nos atraviesa y que atravesamos, es que somos un hombre y una mujer que bailan abrazados una cantata de Bach. Ya sé que más tarde, una vez que me encuentre afuera, en la calle, de nuevo en el tiempo, seré incapaz de decir si estuvimos mucho tiempo bailando el tango con las cantatas de Juan Sebastián Bach. Y sé también que podría decir, por primera vez en mi vida y como una promesa para todas las otras veces que bailaré el tango como lo he bailado en este ano-checer con Coco Días, que la eternidad del presente existe.

13

Estoy contenta de no haberme casado, pienso al abrir la puerta de mi habitación. Desde que entré en el departamento, comprendí que había algo que no marchaba: la puerta de entrada no estaba cerrada con llave. Robert no acudió de inmediato. Y no era Félix, Félix deja tiradas sus cosas por todas partes.

—¿Qué haces ahí?

No sé cómo nombrarlo desde que ha dejado la casa; en última instancia nunca lo he llamado realmente por su nombre. Mientras vivíamos juntos, yo le inventaba montones de sobrenombres que ahora ya no son pertinentes. Entonces, cuando pienso en él o si debo mencionarlo, nunca sé cómo hacer. Si hubiera estado casada con él, habría podido decir: mi ex-marido. Mi ex-marido está tendido en mi cama.

—¿Qué estás haciendo aquí?

No responde, no se mueve.

—¿Dónde está Robert?

Sólo ahora se gira hacia mí. Ha cambiado. Sus cabellos se han puesto blancos en las sienes. Tiene algo más puntiagudo en el rostro, más seco, más apagado también. Aún cuando sigue siendo innegablemente un hombre buen mozo. Siempre le encontré mucho encanto, desde el primer momento.

—¿Quién es Robert? –pregunta.

—Es mi gato.

Habría podido decir, también: mi editor, pero no estamos como para hacer chistes baratos.

—Lo encerré en el baño.

—¡Pero es mi gato!

Le sobreviene una de esas sonrisitas irónicas suyas, en la comisura de los labios que conozco de memoria.

—Ya entendí. No necesitas repetirlo.

—¡Y es mi baño! ¿Me puedes decir qué es lo que estás haciendo en mi cama?

Se apoya sobre su espalda y expira ruidosamente. Yo sigo de pie contra la pared; querría sentarme, pero no a su lado.

—Oh, Val, nunca pensé que llegaríamos a esto…

Tengo ganas de sonreír. Vamos, ahora se va a poner patético, conozco muy bien sus registros. Yo habría podido decir exactamente lo mismo. Porque yo tampoco –y tengo imaginación, y adoro inventar escenas inverosímiles– habría podido imaginar aquella: él sobre mi cama que fue la nuestra durante años, yo de pie contra la puerta. No, no es él, no soy yo, son nuestros dobles. Nosotros, nos creíamos magníficos, indestructibles. Queríamos hacer todo lo contrario que los demás: no casarnos, no dejarnos aprisionar por la familia, ni cooptar por la sociedad, vivir lo más libremente posible, tener un hijo que sería feliz con nosotros (de allí su nombre, todo un programa en sí mismo)… Habría debido hablar en tercera persona del singular y en masculino: era él, nuestro ideólogo oficial, yo sólo lo seguía, estaba enamorada. Ese hombre me gustaba, me gustaba con locura desde el momento en que lo vi. No, me gustaba incluso antes de verlo, no sonrías, es verdad. Sucedió en la biblioteca municipal de la Ville de París. Había un cuaderno abierto sobre la mesa al lado de la mía, me acuerdo como si hubiera sido ayer. Yo no paraba de mirarlo, el cuaderno, tanto más cuanto que no había nadie ante él. Desde siempre me ha fascinado la grafía; para mí, ver la escritura de alguien es como ver su otro rostro, más íntimo, menos expuesto. El suyo no podía menos que encantarme. Yann –se llama Yann– tenía una letra extraordinaria. había que ver sus "t", sus "f", sus "l"… Todo era fluido, lúdico, bien estructurado, pero también libre y alegre, con una fuerte aspiración hacia lo alto… La más bella letra que jamás haya visto. Y eso no era todo: el texto estaba sembrado de pájaros, de peces, de mariposas, de nubes… El propietario de ese cuaderno era al mismo tiempo un excelente dibujante. Cuando por fin apareció, no me sentí decepcionada: un joven alto, rubio ceniciento, con una mirada azul cielo (o azul hielo, es según): pero ese día, y durante mucho tiempo, yo no vi otra cosa que un gran cielo sin nubes en sus ojos. Nos fuimos a vivir juntos casi enseguida. Los dos estábamos terminando nuestros estudios, pensando ya en otra cosa muy distinta: yo en las novelas, Yann en los libros para niños. Teníamos veinticinco años y toda la vida por delante. Mis padres habrían querido que esperáramos un poco. Yo era su única hija, su Vali, su tesoro, tenían ganas de disfrutar un poco más de mí, sobre todo mi padre, tanto más cuanto que mi madre comenzaba a tener un comportamiento extraño. Cada vez más contemplativa, realmente no muy entretenida ni voluble, ya casi no hablaba; ya no se interesaba en nada, se olvidaba de todo. Un año y medio antes del accidente de auto en que los dos murieron en el acto, a los cincuenta y tres años, a ella le habían diagnosticado un Alzheimer precoz. No sé por qué, no tengo ninguna prueba, ningún indicio válido, ningún detalle que apuntale mi hipótesis, pero sigo creyendo que su última jornada se pareció extrañamente a la de mis dos viejos en *Tout droit et à deux cents à l'heure contre le crépuscule*... En cuanto a nosotros dos, con Yann, el padre de mi hijo nacido tres meses después del accidente de mis padres, "toda la vida por delante" quería decir once años. Once años durante los cuales no nos fue mejor que a los otros: no fuimos tan felices ni tan diferentes como queríamos ser.

—¿De dónde estás volviendo? —dijo después de un largo silencio, comprendiendo repentinamente que yo no reaccionaba a su última réplica.

—¿No quieres contestar? ¿Prefieres que hablemos de otra cosa?

Vuelve a girarse hacia mí, se sienta incluso y cruza sus largas piernas. Va a cambiar de táctica, desde aquí lo veo. Su mirada azul hielo se pone a barrer la habitación con método e insistencia, aunque no hay gran cosa para ver y aunque él ya lo ha visto todo. Mis libros desparramados por el suelo... Limones, como en casa de Agathe... Una alfombra –lo único que compré después de que él se fue–, la lámpara de escritorio, prestada por Giovanna. Algunas fotos en la pared: la de Félix, tomada por él, hace mucho tiempo, cuando Félix tenía ocho años, unos rizos rubios y los ojos de su padre. La de mis padres, a la orilla del mar, en Trouville, un domingo al mediodía, tomados del brazo, con los pies desnudos, como enamorados, me parece, en todo caso yo los veo así, aún cuando en realidad no tengo idea. Y también una reproducción en blanco y negro de las *Meninas* de Velázquez.

—Veo que ahora te interesas por la pintura. Tienes buen gusto, en fin... Yo siempre te he dicho que Velázquez era el pintor de los pintores...

Ése es su costado "lo sé todo, les voy a decir lo que hay que hacer", y más todavía, "lo que hay que pensar".

—¿Sigues bailando el tango?

Y es entonces que su mirada azul hielo se detiene en mí. Es la primera vez que nos miramos de verdad. Si le dijera que vengo de hacer unos tangos inolvidables con unas cantatas de Bach, me respondería que busque alguna otra cosa porque eso no es gracioso.

—Me gustaría mucho saber cómo fue que se te ocurrió esa idea. Un buen día, al despertarte, simplemente te dijiste: vaya, me voy a meter a hacer tango, desde que vivo sola no sé qué hacer por las noches. Igualmente habría podido ser danza oriental o judo...

Trato de esbozar una pequeña sonrisa para decirle que esto último no amerita ningún comentario.

—¿Y andas por ahí de noche? ¿Te sigues pasando el tiempo en los cafés? Te crees libre, ¿verdad?

Lo dejo hablar. No me siento particularmente libre, si de veras quiere saberlo.

¿Es ésta la vida que quieres? Bailar, andar por ahí de noche... Mira a tu alrededor, Val...

Otra vez vamos a cambiar de registro; al fin y al cabo lo conozco de memoria. Me esfuerzo por no bajar la mirada. Él siempre ha sido muy bueno en ese juego.

—¡Reflexiona un poco! Duermes en el suelo, ni siquiera sabes dónde sentarte... ¿Has visto la cocina? ¿O el living, si se lo puede llamar así? Vives en un departamento vacío.

Se cree que ha descubierto América.

¿Es ésta la vida que querías? Dímelo, Val, ¿esto es, la vida que tu quieres?

Bajo los ojos hasta sus zapatos, que no conozco. Durante once años íbamos siempre los dos juntos a comprar sus zapatos. Éste debe de ser el primer par que se compra él solo; por lo demás le quedan mal, ése no es su estilo... O bien ha cambiado de estilo. Félix también tiene zapatos que yo no conozco. También tiene buzos que no conozco. Pantalones que le van por la mitad de las nalgas y que tampoco le quedan bien, pero en fin, a él le gusta y eso es todo lo que cuenta. En todo caso, no quiere que vayamos de compras juntos. Quiere vestirse él solo.

—Respóndeme... –dice.

—Eres tú quien debe hacerlo. Sigues sin decirme qué estás haciendo en mi cama.

—Te olvidas de que también es la mía. Hemos dormido juntos en ella. Hemos vivido como una familia en este departamento.

—Tú fuiste quien quiso irse...

—Eso es cualquier cosa, Val... Fuiste tú la que no quiso venir con nosotros...

Tiene razón. Por una vez, los dos tenemos razón. Fue él el que quiso mudarse, abandonar nuestra *Folie*, nuestra Locura, como llamábamos a este departamento en el sexto piso sin ascensor en la rue de la Folie-Regnault. Encontró una casa en alquiler por Saint-Germain-en-Laye, una verdadera casita con jardín. Insistió, lo organizó todo, lo previó todo. "Tendremos cada uno su estudio para trabajar, una gran cocina que da al jardín, un lindo living para recibir gente... Félix podrá ir al liceo internacional, hacer deporte, respirar... Tendremos una vida totalmente distinta a la de París... Seremos felices, ya verás...", repetía. Fui con él a ver la casa. No era tan lejos, veinte minutos de tren de cercanías, más un cuarto de hora a pie. No estaba mal con su aire escandinavo, desde luego... Hasta llegué a preparar las cajas. Embalé casi todo. Y el día de la mudanza, cuando la mitad de nuestras cosas estaba ya en el camión, algo pasó. En fin, en realidad no pasó nada. Nada preciso. Sólo me fui a tomar un café en un bar del bulevar, cinco minutos, mientras los de la mudanza cargaban el camión. Es verdad que me gustan los bares, sobre todo éste, en la esquina de nuestra calle con el bulevar, un cafetín de barrio que conozco muy bien. Y de pronto, en el momento de pagar, sin ninguna premeditación, le dije al mozo: "Te pagaré mañana, Samuel..." Cuando volví, ya estaba casi todo en el camión. Quedaba el viejo sofá que íbamos a regalar, el colchón de nuestra cama, que estaba para tirar, la heladera, la cocina, algunas plantas difíciles de transportar... Me crucé con Yann. Le dije que no quería mudarme, que no quería dos estudios pegados, ni un gran living, ni jardín, que no quería otra vida con él, aunque fuese más feliz, no, quería quedarme aquí, en nuestra Locura. Me echó una mirada que quería decir eso, justamente: estás loca, Val, no sabes lo que haces... Conservé el colchón, y el gran sofá que me gusta mucho. Félix no entendía nada cuando se fueron los dos solos. "Va a venir mañana, no te preocupes... Ya la conocemos...", le dijo su padre lanzándome una mirada azul hielo.

—Te esperábamos, Val... Seguimos esperándote. Es por eso que estoy aquí.

—¿Por qué?

—Para decírtelo una vez más. Para que tú lo sepas.

14

Si recapitulo, para que no pierdas el hilo de la historia: estamos en el mes de noviembre. Las hojas comienzan a caer. Cerca de la explanada de la Gran Biblioteca, son de un amarillo claro y vuelan en la noche como pétalos de oro. En la Avenida Daumesnil, al costado de la Porte Dorée, se pegan a la ancha vereda mojada. En el parque que está frente a la rue de la Folie-Regnault, se pudren lentamente sobre el suelo húmedo. La falsa pelirroja, de pelo rizado, bastante bien proporcionada, como un día la llamó un desconocido que se sentaba enfrente, en el tren París-Lyon, con los ojos clavados en ella durante todo el viaje ("¿Qué es lo que está usted mirando así, a ver, dígame?, preguntó ella. –Una falsa pelirroja, de cabello rizado, bastante bien proporcionada...", respondió él), se pasa horas observando este proceso de desposeimiento delante de su ventana. Si echa una mirada a su alrededor, como se lo ha sugerido el padre de su hijo, es más o menos igual: el mismo proceso, el mismo desposeimiento. Tiene razón. Ella vive en un departamento vacío. Pero curiosamente y no importa lo que él pueda pensar al respecto, ella no tiene nada en contra, al contrario. Es algo que permite descansar de todo ese frenesí de consumo (¿una nueva heladera último grito?, ¿un lavarropas automático?, ¿una cafetera que al mismo tiempo es despertador y radio?). Eso ayuda a comprender que uno precisa muy poca cosa en realidad para vivir. Y sobre todo despeja la vista. Tiene ganas de sonreír: nunca en su vida ha tenido tanto espacio. Todo esto, el living, la cocina, el dormitorio, la pieza en la que trabaja... sólo para ella. Está la habitación de Félix, además, vacía la mayor parte del tiempo. Sin embargo justamente es la única pieza que no está vacía: ella compró una cama, una mesa, una silla para que su hijo se sienta siempre en su casa. A ella le gusta verlo aparecer por la cocina a la mañana, medio dormido todavía, con los cabellos revueltos, con granitos en las mejillas, una remera grande que le llega hasta las nalgas… Lo extraña, habría querido que viniese más seguido. Tampoco ha estado tan sola nunca antes. Pero es más o menos como el departamento vacío: despeja la vista. No hay mucha gente en su vida en este momento. Cuando trabaja como traductora, tiene a sus compañeras, Gaby y Giovanna, las únicas personas con las que le gusta discutir de política y de la sociedad (saben muy bien de qué hablan, el lenguaje revela mucho más que cualquier otra cosa). Está Natacha, su rival literaria. Está el hombre de las cuatro iniciales del que ella no sabe muy bien qué pensar. Está el recuerdo de su efímero amante libanés (en quien piensa en contrapartida cada vez que se saca los aros de las orejas). Está Agathe incluso (y sus obras maestras que la siguen intrigando). Y además está Coco Días.

Habría debido comenzar por él. Está Coco Días, y además todos los otros: Gaby, Giovanna, Natacha, el hombre de las cuatro iniciales, el recuerdo de su amante libanés, y esa curiosa presencia de Agathe… Es él, su personaje principal. Todo gira alrededor de él como en una galaxia. Ella siempre espera con impaciencia el momento de ir a la Porte Dorée. Tomar el bulevar Voltaire, la rue de Charonne, después Faidherbe, subir por la rue de Reuilly hasta la place Daumesnil, luego bajar por la avenida hasta el final, hasta las palmeras y el horizonte abierto. Atar la bici, tomar la primera calle a la izquierda, remontar algunos metros, abrir el portal del jardín, atravesar el patio, subir un piso, y allí es, la primera puerta a la derecha. Cuando él no está retrasado, ella enseguida reconoce la música al subir las escaleras. Hay que esperar el final de la pieza para que el oiga el timbre. Él abre la puerta, ella entra. Es allí donde pasan las cosas, en esa pieza rectangular, que da sobre un jardín a la francesa. Todo está en su lugar, como en el atelier de Velázquez. Ella sabe que no están allí porque se aburran o no sepan qué hacer. Él le ha hecho un encargo, han cerrado un trato. Será preciso que se ponga manos a la obra. Así que, como ves, ella piensa todo el tiempo cómo hacerlo. Como Velázquez, ella reflexiona sobre la representación. Se pregunta cómo disponer a los personajes, cómo organizar el relato. Ella sabe que eso no alcanza, que hay que insu-

flar en todo ello movimiento, invención, intuición, imaginación...
Con el pincel suspendido, mira largamente delante de sí como si
esto no fuera todo, como si hubiera algo más.

—Ven, Balérie —dice él cuando ella por fin se quita el abrigo y se
pone sus viejos zapatos rojos, cómodos, que le sujetan bien el pie.

También está su parte en el contrato. ¿Acaso bailo mejor desde
que vengo una vez por semana a la Porte Dorée? ¿Ha cambiado en
algo mi tango desde que conozco a Coco Días? ¿Estoy adquiriendo
el hábito de todas esas bailarinas que han bailado con él, como Cremilda, Pampita, la Morocha? ¿O la Francesita, la última?

—Estás tensa en la parte superior de tu cuerpo. No eres flexible... Aquí... —dice tocando mis hombros, mi pecho y mi vientre.

Es una tarde lluviosa y gris de finales de noviembre y la primera
vez que me dice algo concreto referido a mi tango.

¿Que no soy qué? No comprendo...

Imagino que estoy poniendo una cara cómica.

—¿No comprendes?

Me mira con un aire porfiado que empiezo a conocer de memoria. Lleva uno de sus trajes a rayas, camisa blanca, pañuelo asomando en el bolsillo, su uniforme de tango a la antigua que mueve
a sonreír y que significa: hace cuarenta años que bailo.

—No, no comprendo.

—Abrázame. Abrázame bien. Apriétame en tus brazos... Así
vas a comprender...

Me le acerco. Estoy habituada a tocarlo, a sentirlo contra mí;
hay que decir que es el único cuerpo masculino que yo abrazo regularmente desde hace un tiempo.

—Más fuerte... Vamos...

No veo a dónde quiere llegar. Empieza a bailar, a llevarme con él.

—¿Me sientes tenso? —pregunta al cabo de un momento, siempre con su aire obstinado.

No, no está contraído, desde luego. Es fluido, es cálido, está vivo
por debajo de su maquinaria de bailarín de tango; es Coco Días.

—Entonces has tú lo mismo... Distiéndete, Balérie —me dice
en la oreja como si me hubiese oído.

Cierro los ojos para concentrarme, para reflexionar. Porque me parece estar distendida, en ritmo, y dar todos los pasos más o menos correctamente. En todo caso lo intento. Intento distenderme. Intento bailar bien. Intento bailar lo mejor posible. Para eso estoy aquí. Siempre tenía ganas de bailar. Quería ser ligera, dar vueltas y más vueltas como las hojas muertas delante de mi ventana. Me llevó mucho tiempo encontrar la Puerta Dorada y comenzar a hablar también con mi cuerpo. Sí, eso es, hablar de un modo distinto al de las palabras; por lo demás pienso que debería decirles a Giovanna y a Gaby que no es el lenguaje el que nos revela en primer lugar.

—No, no… No pienses… –me exhorta, siempre al oído.

Aparto la cabeza para encontrar su mirada y decirle que esto no va. No puedo hacer todo al mismo tiempo, estar distendida, encadenar todos los ochos, los voleos, los ganchos… y no pensar.

—Vamos…

¿Vamos qué? ¿Qué es lo que quiere que haga? Decididamente, no entiendo nada. Jamás seré Cremilda, la Morocha, Pampita ni mucho menos la Francesita, de eso ni hablar.

—Sedúceme… –dice, muy serio.

Bajo los ojos hasta los zapatos rojos que se deslizan por el suelo como si mis pies no fuesen míos. Tengo que parar, tengo que parar inmediatamente, si no, voy a romper en sollozos.

—Es eso, el tango, Balérie… Los pasos, los pasos solos, no tienen ningún interés. Todo el mundo puede hacer pasos… –dice, siempre muy serio.

15

—Hablemos de Ocho, por favor…

—¿No quieres seguir bailando?

—No… Hoy no. Más bien vayamos a tomar un té.

Vamos a la cocina. Él pone agua a hervir. Yo miro por la ventana. Ya no quedan hojas en los árboles; así, desnudo contra el fondo gris uniforme, sin cielo, se ve todavía mejor la estructura rigurosa del jardín. Llueve desde hace dos días, sin interrupción. Los árboles y los arbustos están empapados de agua. Es una larga tarde de noviembre que no avanza.

—¿Y por qué querés hablar de Ocho Cuarenta? –pregunta en español.

Me gusta cuando habla en su lengua materna; lo entiendo casi mejor que en su francés, plagado de faltas y de hispanismos de toda clase que siempre me veo tentada a corregir. ¿Nunca nadie le ha hecho notar, por ejemplo, que no conoció "*à Francesita*", sino "Francesita" (la joven madre de Gaëtan)? ¿Que no se dice "*estage*" sino "*stage*", que no se utiliza "*de manière que*" en cualquier situación, hasta en la sopa? Y que haría mejor en desterrar de su vocabulario "*la profondeur*", no es algo que se declare, la profundidad, sino que eventualmente, si él insiste, se adivina. Al fin y al cabo, cada uno a su oficio: yo a las palabras, él a los pasos.

—Fue él quien te enseñó el tango, ¿no? Le debes mucho…

Sigue preparando su té. Muy meticuloso en sus gestos, vierte agua sobre los saquitos Lipton, toma cucharitas, azúcar… Después saca medialunas y una lata de *Vache qui rit*. En Buenos Aires, un amigo suyo, Raúl Funes, cantante de tango que venía del mismo barrio (pero no de la villa miseria) me contará que su madre Irma invitaba a menudo al pequeño Coco, flaco como un piolín, a tomar una merienda por la tarde: una bebida caliente con pan o torta; así por lo menos una vez por día comía a su antojo.

Así que Coco moja en su té una medialuna, rellena con una tajada de queso fundido.

—¿Estás segura de que no quieres? —insiste.

No, no, gracias, no tengo hambre (y no estoy del todo segura de esa combinación de medialuna y *Vache qui rit*). En contrapartida, me gusta mucho mirarlo comer. Tiene una manera franca y vigorosa de absorber alimentos y de absorberse en sí mismo: comer a grandes bocados, con placer y apetito. Nada que ver con la suspicacia con la que Natacha inspecciona su plato antes de tragar el menor bocado, ni con la dieta muy precisa a la que se somete el hombre de las cuatro iniciales, sin hablar de todas las teorías alimenticias elucubradas por el padre de Félix. ¿Y si todo en la vida no era sino cuestión de apetito?

Hojeo mi cuaderno de tapas color arena mientras Coco ataca su segunda medialuna. El nombre de Ocho está en todas las páginas de la vida argentina de Coco Días. Es natural: Ocho es un jefe, quiere tener siempre la última palabra. Es bastante buen mozo, tierno y brutal, seductor y dominante. Tiene ocho años más que Coco. Es el hermano mayor, pero también el depositario de la imagen paterna; en todo caso, es él quien protege al pequeño. Cuando hay una gresca y Coquito no tiene ninguna oportunidad de salir indemne, ahí está él. Cuando Coco tiene hambre, ahí está él otra vez. Cuando quiere aprender el tango, lo mismo. Ocho es un excelente bailarín de salón, tiene una hermosa caminada y una sólida técnica para los giros. Hace ir al chico a su casa. Ponen música. Es Coco el que hace de mujer y Ocho el que guía, el que le enseña los pasos básicos. Se enerva, no es paciente y mucho menos pedagógico; no hay que olvidarse de que el tango es una danza difícil. Pero comprende enseguida que el chico se las apaña bien, es muy dotado. Al cabo de algunas semanas de lecciones entre hombres, lo lleva con él a los bares con billares o a los cabarets donde se baila. Coco tiene trece años. Ya se ha acostado con mujeres. Sabe lo que es; tiene la sangre caliente, como él dice. Y además vive en un mundo donde nadie se atormenta con la moral y las prohibiciones.

"¡Marta, Rosa, Popi... bailen con Coquito!", les lanzó Ocho a las muchachas sentadas contra la barra, en su mayoría prostitutas que se hacen pagar una copa de champagne y bailan dos o tres tangos antes de irse con sus clientes a un hotel a pocos pasos de allí. Rosa no quiere. "¿Con este nene? A esta hora debería estar en la camita", contesta, agria. Así que Coco va con Popi. Ya sabe cómo hacer: hay que bailar el primer tango sencillamente, para habituarse al otro, para comprender lo que se puede hacer juntos. Y después añadir pequeñas fiorituras en el segundo, empezar a divertirse para poder llegar decididamente al tercero. Popi está en el cielo. No se esperaba para nada semejante número de baile con ese chiquitín. Están solos en la pista; todo el mundo se ha apartado para mirarlos y aplaudirlos al final del último tango. Entonces se acerca Rosa. Se ha cambiado los zapatos. Ahora le lleva algunos centímetros menos y quiere hacer dos o tres tangos con ese niño que baila bien, realmente bien, algo que no podía adivinarse al verlo entrar. Lo que es seguro, lo que salta a la vista, es que después de haber bailado algunos tangos con el crío ese que a esa hora habría debido estar en la cama, estará dispuesta a hacer otra cosa con él. Las mujeres están siempre dispuestas a todo con los hombres que saben bailar, dice Coco Días, que sabe de lo que habla.

"Yo no te puedo enseñar nada más, le anuncia Ocho un día. Ahora tenés que ir a ver por ahí, en otros lados. Está el Chino, un bailarín muy bueno, conocido por sus salidas originales. Y sobre todo el Tano Salvador, el mejor de todos". Coco hará todo por conocerlos. Pero no va a ser fácil, por no decir imposible: al Chino lo mataron en una trifulca, el Tano Salvador está en la cárcel (Coco se lo encontrará años más tarde, en París, bajo el nombre de Néstor Rey, después de una brillante carrera en Estados Unidos). No se sorprende demasiado: he visto muchos muertos en mi vida, dice. Así que se va a Buenos Aires, para ver. En la calle Corrientes está la Academia Gaeta que tiene muy buena reputación. Coco entra, observa: le gustaría aprender a bailar seriamente, académicamente,

con mujeres que no se llamen forzosamente Popi, Rosa, Marta...
Pero la inscripción cuesta demasiado cara y él no tiene zapatos. Se
vuelve a su barrio. Trabaja en su casa con dos palos de escoba que le
sirven de piernas de mujer (o bien con un cinturón para entrenarse
en el rock, Coco es un muy buen bailarín de rock, también). Comprende de una vez y para siempre que su camino en el tango lo va a
seguir solo. Pero primero tendrá que tomar otra ruta, la de la
fábrica de vidrio donde también trabaja 840.

—Fue él quien me trasmitió el tango. Pero si no hubiera sido él,
habría sido algún otro.

Bebe su último trago de té; veo también que es la última frase
que ha pronunciado acerca de su amigo. Siempre es así cuando
habla de él: en un momento se para en seco, como si tuviera miedo
de algo de más o de emitir un juicio. Sin embargo, hará todo para
que más tarde yo pueda dar con él, hablarle y hacerme una idea yo
misma.

—Si me hubiera quedado allá... –dice al cabo de un momento–
habría hecho lo mismo que él.

—¿Tú crees?

—Me pudriría en prisión... O estaría muerto. ¿Estás segura de
que no quieres hacer otro tango, Balérie?

16

—No deberías ir, Valérie. Estás engripada, a tu hijo le duele la muela, acabas de tener un accidente de bici... ¿Qué vas a ir a hacer allá tú sola? Es justamente el tipo de salón que no hay que hacer, créeme. Ahí nadie va.

—Sí... Hay por lo menos treinta autores invitados. Me han enviado el programa.

—De acuerdo, de acuerdo. ¿Pero has mirado los nombres?

—Sí...

—¿Y entonces? ¿Conoces a alguno?

—En realidad no. Hay algunos autores regionales... Una feminista que se llama Milagros Palma. Algunos españoles. Un escocés, ilustre desconocido... Y Bernard Hinault...

—¿Bernard qué?

—Bernard Hinault.

—¿El ciclista?

—Sí...

La oigo tragar saliva al otro lado del cable. Natacha tiene una manera sonora de tragar saliva para marcar un silencio o dar a entender un desacuerdo o una perplejidad en sus conversaciones telefónicas.

—Te vas a aburrir a muerte delante de las pilas de tus libros. Firmarás como máximo siete, ocho... En la cena, te sentarás entre dos notables de provincia. Dormirás mal, en un hotel vetusto frente a la estación...

—En el centro urbano...

—...y estarás de mal humor todo el domingo. A ver, aunque sea dame una razón válida para ir. Una sola, Valérie.

De hecho, hay dos. Dos razones para haber aceptado la invitación al salón literario de Pau, pienso yo (otra inversión que no presagia nada bueno) al día siguiente, en Pau por lo tanto, ante las pilas de mis obras, mirando pasar a la gente que no me mira. La segunda, la menos interesante, es invariablemente la misma: salgo de París, no sucumbo a la falsa fiebre de sábado por la noche ni a la larga melancolía de la tarde del domingo. Pero la primera y la única verdaderamente válida, como diría Natacha, nos concierne a Coco Días y a mí, o mejor todavía: a Coco y las mujeres, o más precisamente: a Coco y su ex-mujer. Porque una de sus ex-mujeres, ex-partenaire de tango y madre de su hija adolescente vive —sorprendente pero cierto— a pocos quilómetros de Pau. Una argentina de la que no habla de buena gana. Me detesta, dice, lacónico, sobre ella. Evidentemente no le he dicho a Natacha y menos aún a los organizadores del salón que yo quería venir a Pau para conocer a la ex-mujer del héroe principal de mi próxima novela porque —sorprendente pero cierto— ella se ha instalado a unos pocos quilómetros de aquí. Y si he hecho ya el viaje, si no he inventado a último momento una razón rocambolesca para cancelar mi participación, como me lo había sugerido Natacha Pernetty, escritora y gran experta en salones y ferias literarias de Francia y de Navarra (en mi caso más bien Navarra), si voy a pasar dos largas jornadas en esta ciudad realmente no muy encantadora, por decir poco, es porque querría verla, a esa argentina, hablarle, comprender porqué se puede detestar a Coco Días, o simplemente hacerme una idea. Por lo demás le he dejado muchos mensajes a su hija para anunciar mi venida, para decir que aquí estaba, que esperaba un llamado de su parte. Porque soy curiosa; siempre me ha fascinado esa ficción que son los otros. También soy seria. Podría incluso decir que me siento responsable, yo que he pensado hasta ahora que esa palabra no tenía nada, pero verdaderamente nada que ver con la literatura. Hay que decir que nunca me he lanzado a un proyecto como éste. No he escrito nunca sobre una persona real, una persona que existe, que se puede tocar, con quien hasta se puede bailar. Así que quiero hacerlo bien, ya ves, quiero hacerlo a la Balzac, es decir documentándome, haciendo una indagación, una anti-indagación, todo lo que haga falta para aproximarme a mi héroe y verlo tal cual es.

En cuanto al resto, Natacha estaba más o menos en lo cierto. Estoy sentada ante las pilas de mis tres obras. 17 ejemplares de *Chroniques nocturnes*, 19 de *Dernière interview* y 20 de *Tout droit et à deux cents à l'heure contre le crépuscule*, lo cual quiere decir que en dos horas y media, he firmado 3 *Chroniques nocturnes*, 1 *Dernière interview* y 0 *Tout droit et à deux cents à l'heure contre le crépuscule*. No me equivoco, tengo todo el tiempo libre para contar y volver a contar los ejemplares que tengo delante. Es un largo sábado a la tarde provinciano, la gente acaba de hacer la siesta, todavía no están del todo despiertos, por no hablar de que no se interesan en la literatura y mucho menos en mí. ¿No sabe dónde queda el baño?, me preguntan. O bien: ¿No ha visto a Bernard Hinault? Debería estar por aquí, ¿no? O incluso: ¿Usted ha escrito todo eso? O la mayoría de las veces: ¿Valérie Nolò? ¿Es usted de origen español? No la conocemos. ¿Usted quién es? ¿Sobre qué escribe? De todos modos, yo no leo novelas. ¿Por qué iba a leer cosas que se ha imaginado usted y que ni siquiera son verdaderas? O aún mejor: Tengo un consejo para darle, señorita, debería pasarse a la televisión.

Yo los miro pasar. Los miro atentamente, es todo lo que tengo que hacer esta tarde. Siempre es difícil imaginar para quién escribe uno, por quién pasa uno horas y horas delante de la pantalla de la computadora buscando la palabra justa, una metáfora que no esté usada hasta el hartazgo, una melodía, un ritmo, un aliento que no sea de nadie más que de uno. ¿Será acaso para los que vagan (no, me gusta demasiado esa palabra: ellos no vagan, se arrastran, zanganean...) por los pasillos buscando los baños, a Bernard Hinault o a algún otro, en todo caso no a mí? Pero al menos es una buena pregunta, ¿verdad, Valérie Nolò? ¿Para quién escribes? ¿Para quién te encierras en tu casa, junto a la pieza de Félix, en la piecita que da sobre un patio interior, mientras los otros viven su vida?

Sigo mirando a la gente que no son mis lectores, por cierto no va a ser hoy el día que encuentre la respuesta a esta pregunta. Y además nunca se sabe, podría llevarme una sorpresa en la persona de una morocha menudita, de cuarenta años, bastante linda y bien formada. Ella tampoco es mi lectora, pero viene por mí, se va a detener delante de mis pilas, va a mirar el nombre impreso en los libritos, después a mí, y otra vez mi nombre, y por fin va a decir: "¿Es usted la que escribe un libro sobre Coco Días?" Sigo con los ojos a todas las morochas menudas, susceptibles de ser argentinas y bailarinas de tango, ex-mujer de Coco Días para mayor precisión, pero ninguna parece querer detenerse ante mí para preguntar lo que quiero saber sobre él, el personaje principal de mi novela.

De modo que para jugar el juego y hacer algo, por lo menos, respondo cortésmente a todas las preguntas que me hacen. Los baños están un poco más adelante, a la izquierda, hay que bajar una escalera y seguir todo derecho. Bernard Hinault está en el primer stand pasando la entrada, es fácil, hay una cola delante de él, usted no puede dejar de encontrarlo... No, no soy yo quien ha escrito estos libros, ha sido mi hermana. Ha tenido un accidente de bicicleta, la pobre, así que yo la represento. Le puedo responder en su lugar, conozco muy bien lo que ella hace. Sus relatos, por ejemplo, o las crónicas nocturnas como ella las llama. Verdaderas historias, bien contadas, con una cierta indolencia, una desenvoltura, con cara de nada, los italianos tienen una palabra para decir eso: *sprezzatura*. No sé si me entiende lo que quiero decir. ¿No? No es grave. Le puedo firmar un ejemplar, si usted quiere, sé imitar muy bien su firma... ¿No quiere? Tampoco es grave. De todos modos le estoy diciendo cualquier cosa. No es mi hermana, soy yo. Sí, soy yo, Valérie Nolò. No soy española, por lo que sé, o bien sólo un poquito, un cuarto, o incluso media... Un cuarto española. O un cuarto quebequesa, o bien argentina, o bretona, no tengo idea. No, no, le digo la verdad: mi madre, adoptada al nacer, no conocía ni a su madre ni a su padre, y mucho menos sus orígenes. Hacia el final de su vida, ya no conocía nada de nada. ¿Sobre qué escribo? Es una pregunta más difícil. Escribo sobre lo que me emociona. Sí, así es: sobre lo que me emociona y me intriga. Me interroga... O me divierte incluso... Y más vale así, ¿no?, ya que me paso más o menos un año con un libro. Sí, un año, cuatro estaciones... Es importante para mí, observar cómo se mira el tiempo en mi libro.

¿El último? ¿El que estoy haciendo ahora? ¿Quiere usted saber de qué habla? No es fácil decirlo así, en pocas palabras. Digamos que es como un cuadro, un retrato de grupo con, en el centro, un bailarín de tango. Un gran bailarín de tango, un argentino, uno de verdad, que un día conoce a una muchacha, sola y desesperada. Él le cuenta su vida. Y sobre todo, le enseña a bailar. Le enseña lo que es tener a un hombre en los brazos. Le enseña a ir decidida, a ir de frente, a no tener miedo, a jugar, a seducir, a estar viva, a ser exigente, audaz y libre... Le hace comprender que es la cosa más preciosa que hay en el mundo. ¿Qué dice? No le he entendido... ¿Que yo debería ir a la televisión si quiero que la cosa camine? Quiero más que eso. Mucho más. Quiero que la cosa baile... Sí, eso es. Que la cosa baile, con o sin televisión.

17

—La eché de menos.

—Me fui por dos días a Pau. Más una semana que no atendí el teléfono, lo cual nos da un total de una semana y media. Una semana y media sin noticias, no es nada del otro mundo.

—¿Qué hizo usted en Pau?

—No gran cosa. Hablé en el vacío. Esperé a una mujer que no vino. Una ex de Coco Días.

—¿Otra vez él?

—Usted lo ha dicho.

—¿Qué le pasa, Valérie?

—Debe ser el otoño. Demasiado calor. Hasta los osos padecen insomnio.

—¡No, dígame la verdad!

—Se la acabo de decir. Hasta los osos padecen insomnio. Y yo, peor todavía… Y ni le hablo de las fiestas de fin de año que se acercan. Las detesto.

—Qué humor tiene hoy, Valérie Nolò.

—Siempre, cuando estoy desesperada. ¿No lo sabía? No, usted no puede saberlo. No nos conocemos. O muy poco… Me pregunto por otra parte por qué se interesa usted en mí. Es una pregunta que me hago desde hace algún tiempo. ¿Por qué uno se interesa en alguien? Dígame… ¿Pero qué hace?

Se ha detenido. Ya no se mueve. Al verlo así, a algunos metros de distancia, un anochecer de diciembre, bajo los plátanos del bulevar Henri-IV, con su traje impecable, zapatos Winston, camisa hecha a medida, con sus cuatro iniciales bordadas, y el impermeable negro, negligentemente abierto para quedar todavía más chic, me dan ganas de sonreír. Nunca pensé que un día me pasearía por el bulevar

Henri-IV con un hombre tan elegante. Si Yann me viera, no daría crédito a sus ojos.

—Repita lo que ha dicho. No le oí —dice cuando vuelvo sobre mis pasos y me detengo delante de él.

—No… Era patético.

—Entonces deme la mano. Y además no corra. No consigo seguirlo… Habíamos dicho que íbamos a caminar juntos. Caminar, no correr.

Soy yo quien lo dijo. Le dije que no quería ir a beber una copa de champagne con él, que no tenía nada que festejar, mi libro no avanzaba, mi tango estaba estacionario y sin brillo, igual que mi vida, por otra parte. Tampoco quería ir a cenar, incluso a la luz de las velas y toda la parafernalia, no tenía hambre. Y además realmente no tenía ganas de tener a alguien frente a mí. Yo no sé si él conoce ese estado, a mí me sucede de vez en vez, cuando no puedo escribir, cuando bailo mal o cuando se acercan las fiestas, o incluso sin ninguna razón… Si en cambio el quisiera caminar, eso, caminar, ha oído bien, caminar, poner un pie delante del otro, no importa dónde, no importa por qué calle, callejón, avenida, bulevar, puente, plaza… yo no diría que no. "Asunto concluido…", había dicho él y me había dado cita frente a los escalones de la Ópera de la Bastilla.

—Está usted audaz, el día de hoy.

—Se burla usted de mí.

—No…

—Entonces déjeme tomarle el brazo.

—Más bien lo haré yo.

—Usted es una mujer complicada, Valérie… Y no me contradiga.

—Si eso lo complace…

—Repítalo…

Hago que no con la cabeza y deslizo mi mano bajo su brazo. Prefiero tomar del brazo a ser tomada, y no es por eso que soy una mujer complicada. Nos ponemos en marcha. Es la primera vez que lo hacemos juntos: él, el hombre elegante y refinado, habituado a que las cosas marchen como él quiere, y yo, no muy elegante ni refinada en realidad, y mucho menos habituada a que las cosas marchen para mí. De modo que intento al menos caminar según yo lo entiendo, poner mis pies uno delante del otro a mi manera. Y otra cosa importante, muy importante: acompasar mis pasos con los suyos, entrar en el ritmo, en la cadencia, como cuando uno baila el tango. Porque para saber si las cosas marchan entre dos personas, hay que saber caminar juntos; y caminar juntos no es así nomás. En todo caso, si he de hablar por mí, me gustaría que la cosa marche: si ya avanzamos el uno al lado del otro, si caminamos juntos, si vagamos (tengo debilidad por este verbo), más vale hacerlo bien.

De modo que me meto en su paso, escucho su aliento, miro lo que él mira: los plátanos, las vitrinas, las luminarias, las fiestas que se preparan, la gente que pasa, las hojas muertas… Hasta un verdadero bosque de pinos delante de una florería; un bosque de pinos muertos que atravesamos uno detrás del otro.

Pasamos el puente, de nuevo tomados del brazo. Continuamos por la *rive gauche*, en silencio, cada uno sabiamente en sus pasos y en sus pensamientos.

—¿Qué ocurre, Valérie?

—¿Por qué?

—La encuentro tensa… ¡Y no me hable de los osos, por favor!

Me detengo, me vuelvo hacia él. Un ómnibus pasa a algunos centímetros de mi espalda; me sobresalto y me aproximo más a él. Nunca lo he visto de tan cerca. Le sonrío: a veces tiene buenas réplicas.

—¿Por qué, no le gustan los osos?

—¡No cambie de tema! Dígame en qué piensa.

—¿Realmente lo quiere saber?

—Sí.

Pasa otro ómnibus, no más cauteloso que el anterior.

—Pienso que es difícil caminar juntos… Quiero decir de a dos, el uno junto al otro.

18

Por una vez, para cambiar de geografía y de decorado, no me cita en la Porte Dorée, sino en la Porte Dauphine. "Saliendo del metro, tomas el primer bulevar a la izquierda, haces unos cien metros, es en el número 65, tercer piso, hay sólo una puerta, no te puedes equivocar...", me explica en el teléfono. Cuando llamo a esa puerta y una mujer joven, evidentemente una empleada de la casa, me hace entrar en un vasto departamento, burgués y de un buen gusto insolente, simplemente no entiendo nada, todo un clásico. Cuando oigo a lo lejos un tango, cuando me abren la puerta de la sala de la que proviene la música y lo veo a él, a Coco Días, bailando con una morochita de pollera corta y cola de caballo, sigo en la más completa nebulosa.

—Siéntate y mira —murmura él, señalándome con la cabeza un gran sofá de cuero que hay detrás de mí.

Lo hago; me hundo en un generoso y confortable sofá, miro, observo. Para empezar está el decorado. Nada que ver con nuestra modesta pieza desnuda en el otro extremo de París, cocinita y gran conejo de sonrisa idiota tirado en el suelo; estamos en casa de gente acomodada que tiene buen gusto y posee obras de arte. La sala es tan amplia que no es necesario hacer a un lado ningún objeto para poder bailar el tango: basta con enrollar la gran alfombra que cubre el hermoso parquet de roble oscuro. Coco se ha puesto de lo más elegante para la ocasión, estilo sobrio, en blanco y negro (y no la versión viejo milonguero kitsch que se enfunda una de cada dos veces). Baila del mismo modo, es decir sobrio, disciplinado, sin demasiadas figuras ni fiorituras. Ni siquiera la música se parece a aquella con la cual baila conmigo: son tangos archiconocidos y de compás bien marcado de D'Arienzo, y los tangos nuestros, más raros, más rufianes, más bajofondo. No parece canturrear mientras baila como lo hace conmigo. No le explica las letras. Tampoco refunfuña y no la suelta para exclamar que ella no está en el compás.

¿Entonces qué es lo que pasa? ¿Qué estamos haciendo aquí? ¿Qué significa el pequeño espectáculo al que me ha invitado? Pues no hay que olvidar su gran talento como director de escena. No se esmera demasiado en buscar el modo de decirme que tiene un hijo: lo pone en escena, me hace participar de la obra, y hasta representar un papel sorpresa para la ocasión, acuérdate, la segunda o tercera vez en la Porte Dorée, el gran cochecito, el biberón, el piecito sin escarpín… ¿Qué me quiere contar, esta vez? ¿Cómo se llama, esta nueva puesta en escena? No es: Coco tiene un hijo, ya lo sabemos (también tiene una hija). Esta vez quizá sea: Coco tiene una amante. Ahí está, debe ser eso. Coco Días tiene una amante. Ella es menuda. Morocha, se ata el pelo en una cola de caballo. Se viste con un cierto descuido, remera blanca y pollera corta (casi demasiado corta, si puedo opinar). Sin embargo es una mujer de gusto y de cultura, basta con echar una mirada a su sala para convencerse de ello: esculturas contemporáneas, litografías y cuadros que Agathe sin duda conocería (pienso que incluso diría: demasiado, hay demasiado arte en una misma habitación). Una mujer de gusto y de cultura, pues, que adora el tango. Una mujer de gusto y de cultura que ama a Coco Días.

Él sabe muy bien que es un tema que me interesa. Coco y las mujeres. Al caer la tarde, una vez, mientras se cambiaba la camisa en la Porte Dorée, me hace la siguiente pregunta: "¿Sabes quién ha sido la mujer más importante de mi vida? –Sí… –¿Quién? –Tu madre". Otra tarde, o más bien una noche, en un taxi que nos lleva hasta el Latina, declara de buenas a primeras: "Si me pongo a pensarlo, al fin de cuentas, he tenido mucha suerte con las mujeres…". En otra ocasión, deriva hacia ese mismo tema, de repente filósofo: "¿Sabes qué es lo que me interesa con las mujeres? –No… ¿Qué? –Que me ayuden a comprender este mundo difícil en el que vivimos". Y otra vez, en la Porte Dorée, ya en la puerta, se le caen del bolsillo dos preservativos. Yo los recojo, se los alcanzo tendenciosamente. "¿Qué quieres saber?, pregunta, con una sonrisa. –Todo…

—Eso es mucho, Balérie. Demasiado…", responde, siempre con la sonrisa.

Tiene razón. Todo, es mucho, es demasiado. A mí también me gusta el secreto. *El secreto para aburrir, es querer decirlo todo…*, escribí en uno de mis cuadernos. Pero entre "todo" y "no gran cosa" hay un cierto margen, ¿no?, y además eso es lo que cada día me interesa más. El amor, eso que pasa entre los hombres y las mujeres… Es el asunto de todos los asuntos, no importa lo que se piense al respecto. ¿Qué es lo que sé, entonces, sobre Coco Días y las mujeres?

Lo que se ve enseguida, lo que de inmediato se comprende cuando uno baila con él, es que eso es lo que él ama. Él ama a las mujeres. Ama gozar de ellas y hacerlas gozar, y él es eso: un sensual. También le gusta seducir. Comprende enseguida lo que puede esperar de una mujer. Y sabe tomarlo. Tiene experiencia. "Comencé a los ocho años, sabes…, me dijo varias veces. —¿A los ocho años? —Sí, fue a los ocho años que comprendí cómo funcionaba eso. Con una amiga de mi tío Tito. Se llamaba Beti. Ella tenía ganas de jugar conmigo para hacer que yo comprendiera dos o tres cosas… ¿Lo ves? —Lo veo… Y después vinieron Marta, Rosa, Popi… —No, Rosa nunca quiso, precisa él. —Me habías dicho que sí… —No, no, Rosa no… Te equivocas. —De acuerdo, Rosa no… Pero las otras… —Sí, las otras sí… Salvo que yo nunca pagué. —Bailabas con… Y después… —Después pasábamos a otra cosa. Pero también estuvo Lili, que no tenía nada que ver con todo eso. Una chica muy joven. Yo era el primer hombre en su vida. La amaba mucho… Ella también, al menos eso es lo que yo creía. En todo caso, le escribí muchas cartas cuando hice el servicio militar. Pero nunca me respondió. Cuando estuve de vuelta comprendí que había otro. Hasta le habían hecho un aborto… —¿Y después? —¿Después cuándo? —Cuando viniste a París… —Después me casé. —¿Te casaste?"

Así que estuvo Beti, Después Marta-Rosa-Popi… (chicas que no se llamaban Rosa en lugar de Rosa). Después Lili, la traidora… Después Cremilda, la peruana, su primera partenaire de tango. Después Marie-Josée, su primera mujer, una francesa, militante de izquierda, que conoció en el Comité latinoamericano en París; nada de tango entonces, sino un poco de conciencia política (lo cual no le hace mal a nadie, menos todavía a un argentino que se puede quedar patitieso delante de una Evita Perón). Después una belga, pintora, de la que no sé gran cosa. Después Carolina Iotti alias Pampita, otra partenaire de tango, con quien dio algunas giras internacionales. Después la Morocha, a quien conoció en una milonga de Buenos Aires, la madre de su hija, su segunda mujer oficial; la que ahora vive cerca de Pau y no quiso encontrarse conmigo cuando fui al salón del libro para verla; la que lo detesta. Después Antonia, una bella española de Barcelona, bailarina también. Y para terminar la Francesita, la última, la jovencísima madre de Gaëtan, bailarina clásica, transformada por Coco en bailarina de tango y pareja de baile.

Después, evidentemente, hay otras, menos oficiales, para no decir ocultas como ésta, menuda, cola de caballo, la falda demasiado corta... Burguesa ella también, aficionada al arte, coleccionista... Bailarina de tango si se quiere, pero no como Cremilda, Pampita, la Morocha... Como yo, más bien. Aficionada, apasionada, pero una bailarina mediocre, muy mediocre, en una palabra, pasemos de largo, hablemos de otra cosa... En todo caso, él se aplica a la tarea, trata de hacerla bailar bien, de ponerla en valor y de jugar con ella; un buen bailarín puede hacer milagros.

—Ahora tú, Balérie... —dice en un momento en que mi mirada está a punto de deslizarse otra vez hacia las obras de arte.

—¿Yo?

—Ponte los zapatos. ¿Qué estás esperando?

Atraviesa el vasto salón para ir a poner otro disco.

—Nos harás preparar un té, por favor –le pide a su amiga, propietaria del lugar.

—Ven, Balérie. Nosotros dos...

Me acerco, apoyo mi brazo sobre su hombro, al final siempre participo en sus puestas en escena, aún si no conozco el libreto. Hoy está muy serio, muy maestro de tango. "Piensa en tu eje, pivotea bien, no te apoyes demasiado en mí... Y no olvides escuchar las palabras. Sólo la música es importante en el tango, lo sabes bien...", me dice antes de comenzar. Pensar en mi eje, en pivotear, en no apoyarme demasiado en él, en escuchar las palabras, no es fácil, todavía estoy con Marta-Rosa-Popi, Lili, Cremilda, Pampita... y con la nueva, aficionada y coleccionista de arte, que está sentada en mi lugar en el sofá y nos mira como yo lo hacía recién con ellos. Al cabo de un momento, cierro los ojos y estoy sola con él, Coco Días, aficionado y coleccionista de mujeres. Me parece que me sonríe, que me habla y que él también está conmigo, sólo conmigo.

Cuando más tarde salimos juntos y nos encontramos afuera, en el bulevar, le pregunto porqué no se quedó con ella.

—¿Por qué me tendría que quedar con ella?

—¿Ella no es tu amante?

Me mira como si yo estuviese soñando en pleno día.

—¿Amante? ¿De dónde sacaste eso? Es una abogada. Una muy buena abogada. Una abogada a la que no le gusta tener que salir para ir a bailar. Así que vengo yo a su casa. Me gano la vida, Balérie.

Ahora soy yo la que abre los ojos como dos platos.

—¿Entonces por qué me has hecho venir a su casa?

—Para salir de la Porte Dorée. Y para que veas que en cierto modo sigo siendo un lustrador de zapatos. Más refinado, no te parece...

Voy a tomar el metro. Cuando me detengo un momento para verlo de lejos –él está buscando un taxi– me hace señas de que espere. Se diría que ha olvidado algo importante que quiere decirme a toda costa. Viene otra vez hacia mí, vacila un momento y después me dice:

—¿Vas a poner fotos en tu libro?

19

"¿Vas a poner fotos en tu libro?"

¿He oído bien? Es preciso que me lo repita muchas veces para creerlo. Debería llamar a Robert, mi editor, de inmediato, antes de descender bajo tierra, y contarle lo que está pasando. Él me dice siempre que lo puedo llamar si tengo una duda, una preocupación, un problema cualquiera con mi novela. Sí, tengo un problema, Robert, una preocupación. Una noticia más bien, que ya no lo es, y haría bien en decirle una palabra al respecto. Ya no estoy con Agathe. La abandoné; la dejé de lado; me he comprado un cuaderno nuevo, para decirlo en otra forma. Aún si —curiosamente— ella sigue estando ahí. Si veo una linda morocha en la calle, impermeable ajustado en la cintura, zapatos chatos, un gran bolso en la mano, me doy vuelta a mirarla: se viste igual que Agathe. Si paso frente a una cola monstruosa delante del Grand Palais o algún otro museo donde anuncian una exposición que hay que ver a cualquier precio, me digo: esto es todo cuanto ella detesta, el consumo masivo de las obras de arte. Cuando sigo disponiendo limones en mi Locura, para darle un brote de color, un toquecito de locura suplementaria, pienso en Manet, es decir en ella. Cuando me miro en el espejo, advierto que la falsa-peli-rroja-de-pelo-rizado-bastante-bien-proporcionada está envejeciendo. Más o menos imperceptiblemente, de acuerdo, pero envejece, lo puedo ver, veo que el tiempo pasa, y no quiero temerle a eso como le teme Agathe. Me paso por el forro la menopausia, los sofocones, los sudores nocturnos, los cambios súbitos de humor y las noches blancas). Pero no le voy a contar todo eso a Robert, obviamente. Le voy a avisar de una vez que ya no puede contar con mi *Obra maestra*, ni con mayúscula ni con minúscula, nada. Porque conocí a un bailarín de tango.

¿Un bailarín de tango? La gente siempre se sorprende. No saben qué pensar. El tango, es cosa de viejos, ¿no? Para Fabián –y Fabián no es ningún viejo, tiene justo cuarenta años– el tango es la emoción, y la emoción –ya se sabe– es la transformación mágica del mundo. De modo que conocí a un bailarín de tango, Robert. No es un bailarín de tango de los que hoy en día hay legión. Él viene de allá de donde viene el tango, de los bajofondos, de la miseria, de los suburbios de Buenos Aires. Ha hecho lo mismo que el tango: después de una infancia y una adolescencia entre el sub-proletariado urbano, pasó a los salones, se aburguesó, se emancipó, y vía París ha conquistado el mundo. ¿Qué estoy diciendo? Es su historia. La historia de Coco Días que se confunde con la del tango. Ellos dos se comprenden, hablan el mismo lunfardo, esa lengua de los rufianes que se vuelven poetas. Nacido en los suburbios, viviendo en la miseria, la violencia, la prostitución, la droga, se ha tomado el barco, se vino a París. París se volvió el sésamo, París le abrió la puerta. Fue en París donde se convirtió en bailarín de tango. Y fue en París donde se convirtió en Coco Días. Evidentemente eso no ha sido tan simple. Me lo va a contar. Me gusta mucho el modo en que cuenta. Se pierde, ya no sabe por dónde va, habla mal y es confuso, en fin, realmente es preciso saber entender, pero sus ojos brillan, se transporta, tiene todas las edades.

Porque hemos sellado un pacto, Robert. Yo escribo sobre él, él me enseña a bailar. No voy a entrar en los detalles, pero es más o menos así. Así que hace mutis Agathe, buenos días Coco. Estoy en otra novela. A propósito, ¿sigue siendo una novela? Toda vida es una novela, una composición, un trama, una emoción. Y yo adoro eso, lo sabes bien, adoro la composición, adoro la trama, me inclino ante la transformación mágica del mundo. En todo caso es nuevo para mí. Nunca he acometido una tarea semejante. Escribir sobre una persona real, sobre alguien que existe, que no es el fruto de mi imaginación como lo es Agathe, aún si ella también, de cierta manera, existe. Por una vez no estoy sola en una historia. No depende todo de mí, por no decir que no puedo hacer nada sin él. No sé adónde voy. A veces ni siquiera estoy segura de él. ¿Qué quiero decir con esto? Me pregunto si Coco Días comprende lo que estoy haciendo. No, te lo digo ahora mismo, ni siquiera vale la pena que me haga esa pregunta. Él no lo comprende. No sabe lo que es una novela. ¿Porque quieres saber lo que acaba de decirme? ¿Quieres que te lo diga?

No, lo voy a llamar más tarde, al volver a casa, en mi Locura. Me voy a sentar en el sofá, voy a agarrar el teléfono y a mi otro Robert sobre las rodillas, y le voy a contar todo con mucha calma.

20

Eso no pasa sólo en las novelas, en la vida también pasa, quiero decir que las cosas llegan cuando tienen que llegar. No sé cómo explicarlo, por otra parte no sé si hay que buscar hacerlo a toda costa. Si retorno a mi historia, es decir a la historia de Coco Días que por momentos se cruza con la mía, es necesario que siga con la velada que sigue a la tarde en casa de la abogada, que no es, pues, su amante como yo creía, y con la pregunta sobre las fotos de la que quería hablarle a Robert, mi editor, cosa que finalmente no hice. Porque al volver a casa, a mi Locura, al instalarme cómodamente en mi sofá, con el otro Robert sobre las rodillas, suena el teléfono. Es Coco Días, que se dispone a ir a bailar, y me invita a que vaya con él. Hace esto a menudo, llama para citarme de allí a media hora como si eso fuera lo único que yo tuviese que hacer en mi vida: esperar que él llame.

—Estoy cansada, Coco, tengo ganas de acostarme temprano esta noche.

—¿Acostarte? Tienes toda la vida para dormir, Balérie.

—En este momento duermo muy mal…

—Justamente, una razón más para no acostarte.

—No tengo muchas ganas de salir.

—Cuando uno no tiene realmente ganas de hacer una cosa es cuando hay que hacerla. ¿No lo sabías? ¿No? Vístete, y no olvides tus zapatos… Por una vez que te invito a venir conmigo…

Tiene razón: por una vez que me invita a ir con él. Sin duda no me lo volverá a proponer, no sale solo muy a menudo, sin hablar del hecho de que yo realmente no soy una bailarina a su medida. Y además tal vez sea cierto: cuando uno no espera nada es cuando las cosas pasan. En todo caso, es así como conocí a mi amante libanés, a las dos y media de la mañana, cuando ya no daba más de tanto sacarme y ponerme los aros en las orejas, los mismos que más tarde esa misma noche sacamos y pusimos juntos de una manera, hay que decirlo, inolvidable. Tal vez me lo encuentre allí, nunca se sabe... Tal vez ha regresado. Parecía ser muy viajero, cambiar de ciudad como de camisa. De modo que sí, voy a apartar a Robert, voy a comer algo, me voy a dar una ducha. Y después me voy a poner mi pollera más linda, mi blusa verde de seda, muy ceñida al cuerpo, escotada en la espalda, y mis zapatos de tango negros, los vertiginosos, de cuero forrado en terciopelo, muy sexy, tacos aguja de diez centímetros y medio, abiertos por atrás y adelante, *Comme il faut* (mayúscula y minúscula), sin olvidar –importante– mis aros. Voy a saltar a mi bici, bajar por el bulevar Voltaire, tomar por la place de la Bastille, luego la rue Saint-Antoine, la rue du Temple, primer piso, y listo, ahí estaré.

Hace sólo dos años, yo jamás habría podido imaginar que un día, cuando la mayoría de la gente se estaría aprontando para irse a la cama o mirando el último noticiero televisivo, yo, en cambio, me vestiría, de manera más bien ligera, me perfumaría y saldría para ir a bailar el tango. No era mi estilo, para nada. Mi estilo era quedarme en casa, en nuestra Locura, con Yann y Félix, releer las últimas páginas de mi novela o hacer algún trabajo de traducción atrasado como la quinceava versión de uno de los seis protocolos de la Convención Alpina, o ver una película en canal Arte, o simplemente ir a acostarme, como todo el mundo. Tampoco tenía este tipo de atuendos en mi guardarropa: vestidos negros, sexy, escotados adelante y atrás, polleritas, más bien alegres y danzantes, blusas de seda de toda clase, medias de red... Ni siquiera sabía que todo eso me podía ir, ni que yo era –como en ocasiones me lo dicen– bastante bien proporcionada. Ni siquiera conocía este pequeño estremecimiento en el bajo vientre, esta extraña excitación que me da cada vez cuando me acerco a la rue du Temple, y me hace apretar el paso para llegar hasta el primer piso del viejo cine del que viene el eco de los tangos que me oprimen el corazón.

Me detengo en lo alto de la escalera, miro a mi alrededor. Paso revista a toda la gente que hay allí: los que bailan, los que están sentados en la barra o en las mesas alrededor de la pista, incluso aquellos que están de pie en el corredor que lleva hasta el cine. Lo hago cada vez, y hoy con más atención aún. Está pues la morochita, la funcionaria del Ministerio de Agricultura, siempre igual de sonriente y mal vestida, que desde lejos me hace una seña. El brillante analista financiero, acodado en la barra, y también el afable informático argelino al que le falta un diente, y Nicolás, que siempre está aquí. Los dos hombres que sólo bailan entre ellos, delgados, delicados, perfectamente sincronizados. Está la ex-mujer de un médico célebre, Carla, divorciada y madre de cuatro hijos, Christian, el jubilado, que está aquí porque en su casa se aburre, Alfredo, el peluquero argentino, el médico japonés, que se está muy erguido y elegante. El pintor estrafalario con sus camisas de flores y su modo de bailar el tango igualmente estrafalario, el hombre negro que es empleado de correos en la Martinica. Hay algunos jóvenes de los que no sé nada porque la mayor parte del tiempo bailan entre ellos, creyendo que el tango es una competencia gimnástica en la que hay que ganar. Hay una pareja sentada, están comiendo algo, parecen fascinados como cuando uno ve este baile por primera vez. Una mujer a la que no conozco, sola en la barra. Aris el griego, propietario de un cuarto de caballo de carrera, que no baila, pero viene a mirar y a sorber de a poco su cerveza argentina. Algunas otras personas seguramente de paso, a las que tampoco conozco. Ellos no están, me refiero a mi amante libanés y a Coco Días. O mejor dicho: todavía no han llegado. Los buenos bailarines, sobre todo si son argentinos, siempre se hacen esperar.

Así que me pongo mis zapatos, los negros, los vertiginosos, los que guardo para las ocasiones especiales, como esta noche. Debo estar preparada. Pues tal vez vaya a bailar, nunca se sabe, con mi amante libanés. Y también, es seguro, con Coco Días, por una vez en público, delante de todo el mundo.

Debería hacer un salto en el tiempo, una aceleración hacia adelante, para ir más rápido, para no demorarme inútilmente: no bailé con mi efímero amante libanés, porque no ha venido. Tampoco bailé con Coco Días que, él sí, vino. El héroe de mi novela llegó después de la medianoche, con toda la fanfarria, si puedo decirlo así: traje a rayas, camisa rosa, zapatos brillantes, buen día a todo el mundo, es decir al patrón, a su mujer y a algunos argentinos, habitués del lugar, que no se mezclan con los otros. A mí me saludó de lejos, con un guiño de ojo y una leve sonrisa, hay que saber mantener el propio nivel, no dispersarse, hacerse desear de lejos. No se ve a nadie más que él, nadie se viste de viejo seductor como Orlando Días. Permanece de pie, cual maestro de tango que no desciende a menudo a la arena, observando todo ese pequeño mundo que danza delante de sus ojos. Tiene un aire soñador, distante, me pregunto en qué puede estar pensando. Y de repente su mirada se ilumina, su rostro se vuelve confiado, inocente, emocionado, como cuando habla de Flora, Chiquito, Ocho y los demás. Se despega de la pared, atraviesa la pista de baile, se dirige hacia la mesa ocupada por la pareja que he visto al llegar y que no conozco. Besa a la mujer, la toma entre sus brazos, después le estrecha la mano al hombre que está junto a ella. Se sienta a su mesa, se pone a hablar con la mujer. Ya no es un maestro de tango, se convierte otra vez en el joven delgado que siempre anda con miedo de pasar hambre y que se apresta a desembarcar en un país que no conoce. Está a bordo del *Marconi*, el gran trasatlántico que boga hacia Francia.

—Ven, Balérie, ven aquí… —me llama desde lejos, al cabo de un rato.

Ahora soy yo quien atraviesa el salón, y me acerco a ellos.

—Balérie, te presento a Griselda Sarmiento. Ella es uruguaya. Estuvimos juntos a bordo del *Marconi*. Griselda es psicoanalista. La voy a invitar a bailar. Espéranos aquí… ¿Quieres? Después podrás hablar con ella, si quieres. Le he dicho que eras escritora y que escribes mi biografía… Es así, ¿no? No deja de ser increíble, ¿no te parece?

No esperan mi respuesta, se levantan y se ponen a bailar, el menudo Coco y la morocha y distinguida Griselda Sarmiento. De modo que no he tenido tiempo de decirles que no era verdad, que yo no estaba escribiendo una biografía de Coco Días, y que tampoco —esto tiene que quedar claro— iba a poner fotos en del libro. ¿Acaso hay fotos en *Ana Karenina* o en *El amante de Lady*

Chatterley, los tomo al azar del top 10 de mis novelas preferidas? Pues estoy escribiendo una novela cuyo personaje principal es un bailarín de tango, se llama Coco Días, está bailando con Griselda Sarmiento, y eso, es verdad, es increíble, es mágico, a menudo las cosas caen como deben caer. Así que voy a hacer otro salto en el tiempo, esta vez hacia atrás, muchos años atrás.

Estamos en 1977, el 5 de marzo. Coco tiene veintiséis años y se apresta a embarcar en el *Marconi*. Tiene unos pocos pesos consigo, dos valijas y tres bolsas de comida. Un puñado de amigos ha venido a acompañarlo al viejo puerto de Buenos Aires. Cuando el enorme *Marconi* suelta amarras, cuando la ciudad de Buenos Aires comienza a alejarse y a volverse cada vez más difusa en la distancia, él siente que su destino está dando un vuelco: de ahora en más, es seguro, es inevitable, habrá un antes y un después del *Marconi*. El viaje es largo. Dieciséis días, seis escalas. Coco tiene un boleto de tercera clase. Griselda Sarmiento –que no es uruguaya, me dirá ella después de algunos tangos con Coco, sino una joven estudiante de psicología de Buenos Aires, militante de izquierda que ha conocido la tortura y que huye de su país *in extremis* con sus dos varoncitos, Marcos y Marcelo–, Griselda tiene, en cambio, un boleto de segunda clase. No han dejado el país por las mismas razones. Para ella, era una cuestión de vida o muerte. No conocerá a Coco hasta el último día, el 21 de marzo de 1977, cuando el *Marconi* atraque por fin en Niza. Son los únicos que se quedan en el muelle, los únicos a los que nadie espera en el puerto y los únicos que no saben a dónde ir: la refugiada política con sus dos hijos que ha salvado su vida, y el joven Coco sin un centavo que quiere cambiar de vida. Era flaco como un palo, dirá ella. Tiene consigo dos grandes bolsas de comida. Se aleja, se va con un desconocido. Y vuelve un momento después: el desconocido ha resultado ser un sujeto turbio que creía poder estafarlo o sacar algún provecho de un joven que venía del otro extremo de la tierra y no sabía una palabra de francés. Griselda sigue allí. Se van a separar, se dirán adiós por última vez: Griselda parte para Montpellier, Coco intentará llegar a la capital. Así que adiós, y buena suerte. Sí, buena suerte en la nueva vida.

21

Yo pienso en la nueva vida cuando sobreviene. Voy en mi bici, volviendo a casa, pedaleando por el bulevar Voltaire, a las cuatro de la mañana. Finalmente hace frío, mucho frío, y la luna nueva brilla en un cielo sin nubes. Un trazo dorado, como la puerta. A esta hora, ya no hay gente en las calles; algún que otro coche por aquí y por allá, una moto, dos, algunos peatones solitarios y yo, que sigo pensando en una nueva vida en medio de una vida. ¿Es ésta la vida que quieres vivir, Val?, había preguntado Yann la última vez que vino, sentado en mi cama. Ya no sé lo que le respondí. Recuerdo haber mirado a mi alrededor, mi habitación vacía, la nueva alfombra, la lámpara de Giovanna, como si la nueva vida se pudiese ver. Realmente no sé cuál es, la vida que quiero vivir. Para empezar querría que fuese una vida sin fiestas de fin de año, sin Navidad, sin regalos, sin pinos muertos, sin vísperas, sin foie gras, sin ostras... Fue más o menos en medio de esos pensamientos, me acuerdo muy bien –sin regalos, sin pinos muertos, sin vísperas ni foie gras– que eso ocurrió. Hubo un ruido extraño, como un zumbido de abeja amplificado hasta lo insoportable, que me perseguía y quería invadirme a toda costa. Después el golpe, y enseguida unos cuantos segundos de nada, una enorme nada, después de nuevo yo, un gusto raro en la boca, pegajoso, espeso, me debo haber mordido la lengua...

—¿Está bien, señorita?

Un hombre muy joven se inclina sobre mí. Me sostiene la mano. Un bombero, está escrito en su buzo. Un joven rubio, muy rubio, el cabello cortado a lo cepillo, con un lunar junto a la nariz. Estoy acostada en un coche de bomberos, con una gruesa manta sobre mi cuerpo, un collarín alrededor del cuello. Me duele la cabeza, me duele entre los muslos, tengo un gusto a sangre en la boca.

—¿Está bien, señorita?

—¿Y mi bici? ¿Dónde está mi bici?

—Nos vamos a ocupar, no se preocupe. Dígame si se siente bien. Es lo único importante en este momento.

—Mhm…

—La vamos a llevar a la urgencia. Pero antes hay que hacer un acta.

—¿A la urgencia? ¿Un acta?

—No se mueva… Ha tenido un accidente, señorita. Incluso perdió el conocimiento…

Me gusta su voz, una bella voz dulce. También me gusta que me llame "señorita" y que me tenga la mano. Cierro los ojos. Me esfuerzo en no sentir otra cosa que su mano en la mía. Me parece que incluso lo logro. Tiene una mano suave. Suave, muy suave, lo cual no quiere decir blanda. No es una mano blanda, sino una mano suave y vigorosa. Si me la deja un poco más, si no la retira, podría casi dormirme. Porque es tarde. Es muy tarde. Digo: casi. Casi dormirme. Porque oigo voces. Está lleno de voces a mi alrededor. La gente habla fuerte, no como mi bombero. Hay una mujer policía que me quiere leer el acta. ¿Realmente es necesario que abra los ojos? Sí, porque tengo que firmar. Incluso es preciso que me levante. ¿Puede usted levantarse?, pregunta mi bombero. Sí, me puedo levantar. En fin, no sé, lo voy a intentar. Querría hacer todo lo que ellos quieran. Sobre todo querría que mi bombero se quede junto a mí y me siga teniendo la mano. Así que quiero escuchar a la mujer policía. Yo andaba pues tranquilamente por el bulevar Voltaire, ¿es así? Un joven venía en el mismo sentido, detrás de mí, en su moto. Me vio perfectamente, ningún problema. Lo que no vio –iba rápido, demasiado rápido– fue el lomo de burro en la calzada. El lomo de burro que derribó la moto, que, a su vez, me derribó a mí (mientras yo iba pensando en una nueva vida, una nueva vida en medio de la vida). He tenido suerte, dice la policía. Esto podría haber terminado de otra manera. Mi cabeza habría podido golpear el asfalto, o el coche estacionado contra el cordón. Sobre todo porque el choque ha sido violento. Sí, se puede decir que he tenido suerte… ¿Confirmo estos hechos? ¿Puedo firmar la deposición?

22

No volví a mi casa hasta el día siguiente, hacia el mediodía. De modo que pasé ocho horas en la urgencia del hospital Saint-Antoine, un lugar que recomiendo a todos los escritores faltos de inspiración y de realidad. Es siniestro, opresivo, incluso cadavérico, pero es también una verdadera mina de ficción y de personajes; basta abrir los ojos y las orejas para encontrar historias que están lejos de ser banales. Se puede elegir como en el supermercado. Hay simuladores de toda calaña, como el pequeño pakistaní en el corredor que interpreta a la perfección un ataque de epilepsia. Hay chicas que a esta altura del año se lanzan a una tentativa de suicidio para escapar de las fiestas en familia. Hay un hombre de cuarenta años, con los pelos revueltos, pero bastante distinguido, vestido con buen gusto, que ya no quiere volver a su casa, y que le explica a todo el mundo que su departamento se ha convertido en un desierto y que prefiere deambular por el corredor del hospital y no hacerlo en el Sahara. Hay drogados, mendigos, enfermos quebrados que vienen a la urgencia porque es gratuito. Y gente sola y angustiada como el jovencito pálido, a mi lado, que dice que no puede respirar porque tiene el corazón oprimido. Y otros más que ingurgitan sustancias nocivas y vomitan por los corredores. Y accidentados de la ruta, a los que hacen pasar antes que a nadie, y los otros como yo, a los que les hacen una radiografía o dos y que retienen durante algunas horas en observación, para ver si todo está bien. De modo que estoy doblemente en observación: a mí me observan y yo observo.

"¿Qué hacía usted en la calle a las cuatro de la mañana vestida así?", me pregunta un auxiliar de clínica que pasa regularmente por el corredor. Es menudo, retacón, bien formado. Y curioso, sin duda. Y descarado. Se detiene un buen rato al lado de mi camilla, la mirada posada en mis medias de red, rotas y desgarradas, mi pollera negra con volados, desgarrada también, y el escote bastante generoso de mi blusa de seda. "Jugaba al ajedrez. Es obvio, ¿no?" Él se muerde el labio, a menudo corto de réplica. Cuando más tarde vuelve a pasar, con la camisa abierta sobre un pecho tatuado, murmura: "Dígame, entonces, es peligroso, ese juego de ajedrez suyo. –Siempre, si se quiere ganar. ¿No lo sabía?", le devuelvo la pelota. A la mañana, cuando cambia el personal, mientras permanezco en observación en el gran corredor verdoso y más bien sórdido, y ya no puedo más, de veras no puedo, él vuelve a detenerse junto a mi camilla.

"Tengo que decirle algo. –¿Sí? –Tengo debilidad por mi jugadora de ajedrez. Ella no es muy simpática. –Mejor. A mí no me gusta, la gente simpática… –A mí tampoco… Prefiero a los que son directos, generosos y nada simpáticos, vaya, estamos de acuerdo. Y volviendo a la jugadora de ajedrez, es la única que tuvo un poco de humor esta noche. –¿Habla en serio? –Y cómo… No siempre es divertido aquí, ¿sabe usted? En todo caso, cuídese. Sobre todo era eso lo que le quería decir".

A mediodía, el médico jefe quiere saber si alguien puede venir a buscarme: con un traumatismo de cráneo, estos dolores en el cuello y los hematomas por todas partes, sería mejor. Reflexiono durante treinta segundos: no quiero que Félix me vea en este estado, no quiero molestar inútilmente a su padre que es capaz de hacerse todo un banquete con esto, ni alarmar a Giovanna ni a Gaby, por naturaleza muy solidarias, pero a esta hora de la jornada seguramente traduciendo quién sabe qué desayuno oficial. Ni siquiera quiero llamar a Natacha, a quien no le gusta particularmente este tipo de realismo, ni al hombre de las cuatro iniciales, a pesar de que a menudo me dice que si necesito algo, no tengo que dudar… No, está bien, me las voy a arreglar yo sola. "¿Realmente no tiene a nadie que la pueda acompañar a su casa?, insiste la joven doctora que ha reemplazado a la que estaba de guardia por la noche. –No… –¿No? –No".

No me voy a extender demasiado acerca de este accidente nocturno. De nuevo en mi Locura, sobre el sofá frente al parquecito, con Robert a mi lado, he tenido todo el tiempo para reflexionar.

Para hacerlo lo más corto posible, puedo decir como la mujer policía: he tenido mucha suerte. Gracias a mi accidente, pude evitar la invitación envenenada de Yann a pasar Navidad en familia, en el chalecito de Saint-Germain-en-Laye. Ya decoraron el pino y me esperan. Me esperan con alegría, dijo. Los dos querrían que por fin pasemos una velada en familia. "Al fin y al cabo tenemos un hijo juntos, Val. No lo olvides…", añadió con ese acento culpabilizador que tan bien le conozco.

En vista de la nueva situación, fue Félix el que vino por algunos días a mi casa. Se instaló en su cuarto, hacía compras en el mercado de Aligre e improvisaba algo para comer en el sofá. Para Navidad, alquilamos algunas películas que miramos en mi computadora. Encargamos una pizza grande para tres que compartimos entre los dos. Jugamos a las cartas, escuchamos música, charlamos hasta entrada la noche. Robert ya no sabía qué rodillas elegir. "No, no, en este momento no puedo. Imposible. Estoy con mi madre. Ella tuvo un accidente de bici, está un poco magullada, realmente no muy presentable. Así que es el Zorro quien hace las compras, responde el teléfono, pasa la aspiradora y entretiene a su gato que se toma por un filósofo…", explicaba Félix a sus amigos que lo llamaban durante todo el día a su celular.

"No estuvo mal, mamá. Nos divertimos juntos…", declaró al cabo de tres días, cuando Yann lo vino a buscar en coche para llevarlo a la casa de sus padres, en Bretaña. Se inclinó hacia mí para besarme en la mejilla. Fue en ese momento cuando me di cuenta de cuánto había crecido. Me lleva casi una cabeza. Es bastante buen mozo a pesar de sus granos, su cabello grasoso y su atuendo imposible. "Me haces una seña la próxima vez que me necesites", dijo al marcharse.

Durante los días que siguieron, releí por primera vez mi cuaderno de tapas color arena. Comienza a llenarse: hasta la mitad, incluso un poco más. Al cabo de algunos días, ya no está tan limpio, aún si soy cuidadoso con él, muy cuidadosa. Pienso incluso que es la cosa que más cuido en este momento. Todo el tiempo tengo miedo de olvidarlo o de perderlo en alguna parte; si lo pierdo, pierdo una parte de la vida de Coco Días y también un poco de la mía. Todo está allí adentro: Flora, Chiquito, Ocho Cuarenta, todo el séquito de mujeres... La travesía en el *Marconi*. También nuestros tangos, y todo lo que los acompaña, mis silencios, mis perplejidades, mis torpezas, mi falta de seducción como dice él. Y tiene razón: todavía no he llegado a comprenderlo todo en esta danza. Pero hay algo que falta en el cuadro. Hay algo que no va. Todavía no sé qué es. En todo caso, mi retrato de Coco Días es bastante vago, lejos de estar terminado.

He comprendido otra cosa. Inmobilizada en mi Locura, no pudiendo salir y mucho menos ir a bailar, me doy cuenta hasta qué punto el tango forma parte de mi vida. Lo necesito como comer o beber. Me pregunto cómo he podido pasar todos esos años sin bailar. Me pregunto incluso cómo hace la gente que no lo conoce. ¿Cómo se puede vivir sin tener ganas de abrazar y de ser abrazado? ¿Cómo se puede vivir sin ese diálogo mudo entre un hombre y una mujer en el que nadie está por encima de nadie, en el que durante tres minutos todo es posible? ¿Cómo se puede no tener sed de esa especie de intimidad que nos desvela y nos enseña muchas meas cosas sobre nosotros mismos que las que estamos dispuestos a reconocer? O como dice Coco Días en nuestras tardes en la Porte Dorée: Bailando, podemos tocar el misterio del otro. O bien: Uno danza para sentir su propio cuerpo. O también: Cuando todo encaja bien con el cuerpo del otro, no hay necesidad de hablar.

Me acuerdo de otra frase que me hizo llenar los ojos de lágrimas. Me dijo: "Toma toda la dulzura que hay en ti y ponla en el tango que vas a bailar conmigo". No la puedo olvidar. Me la repito de vez en cuando como un leitmotiv, una promesa o un mantra: "Voy a tomar toda la dulzura que tengo en mí para ponerla en el tango que voy a bailar contigo".

23

—No me imaginaba que usted vivía en un lugar así, Valérie…
—¿Un lugar cómo?
—No sé cómo decirlo. Un lugar…
—¿Minimalista?
—Sí, eso. Es minimalista.

Se esfuerza por sonreír. Hay que reconocer que es una palabra de lo más cómoda, ese "minimalista".

—Venga… Estoy contenta de que haya venido. Realmente contenta. Siéntese, se lo ruego.

Mira a su alrededor como si se hallara de repente ante un verdadero problema.

—En el sofá, no hay otra opción.

Sigue teniendo su sonrisita crispada en los labios. Hay algo que no marcha; lo sentí enseguida cuando abrí la puerta. Tenía un aire tenso, como si se arrepintiera de haber venido. No obstante ha sido él quien propuso pasar por casa cuando le conté mis desventuras ciclistas. "¿Por qué no me lo había dicho antes? Usted sabe muy bien que puede contar conmigo. Habría podido ir a buscarla en el hospital. ¿Puedo ir a verla? Ahora. Enseguida. Iré en mi auto. Déme el tiempo de arreglar antes dos o tres cosas solamente. Una media hora, no más, Valérie…", dijo antes de colgar apresuradamente. ¿Media hora? Si fuera Coco Días, media hora querría decir por lo menos el doble, si no más. Pero mi buen hombre de las cuatro iniciales no era Coco Días, lo cual quería decir que me quedaba exactamente media hora, ni más ni menos, para lavarme el pelo, cambiarme, maquillarme y después pasar la aspiradora e intentar darle a mi pobre Locura un aspecto menos desolado y pobre. De modo que hice rápido: levanté todo lo que estaba por ahí tirado, libros, diarios, correo, ropa, zapatos de tango, flores marchitas, cómics de Félix, bufanda de Félix... Me di una ducha, me lavé el pelo, me lo sequé, me puse mi vestido verde a lunares, ni realmente sobrio ni abiertamente sexy, algo más bien neutro que resultara agradable. Y que —para decirlo de una vez— se pueda sacar con facilidad. Un gran cierre relámpago que se abre desde la nuca hasta las nalgas y abre muchas posibilidades. Porque ya era hora de que pasara algo entre nosotros. Hará pronto cuatro meses —lo conocí más o menos al mismo tiempo que a Coco Días— que nos vemos en las trastiendas de cafés muy chics, que caminamos juntos por el bulevar Henri-IV, que debatimos cosas muy serias como el arte contemporáneo, o hacemos doctas exégesis de autores difíciles como Beckett, su escritor fatal. No es que yo sea particularmente ligera o fácil, no lo creo, más bien al contrario, pero me gustaría que pasáramos la página, ¿no?, me gustaría que hiciéramos como Paolo y Francesca en Dante: que dejemos de leer y pasemos a otra cosa. Así que me maquillé con cuidado, peiné lo mejor que podía mi estopa enrulada, me perfumé como si fuese a bailar. Y —atención— me puse mis aros negros. Cuando estuve lista, eché un último vistazo a mi alrededor: ordenado, limpio, ventilado, a fin de cuentas no estaba tan mal. Un gran cuadro abstracto, tipo Claude Abacò primera época, apoyado en el suelo contra la pared más larga, y mi Locura podría pasar por un furioso última tendencia, contemporáneo, minimalista, pensaba en el momento en que tocaron a la puerta.

—Me costó encontrarla... —dice mientras avanza hacia el sofá.

—Es porque no viene muy seguido a los barrios alejados del centro...

—Puede ser... —dice, sonriendo con cortesía, la mirada repentinamente turbada.

Barrios apartados. ¿Por qué he dicho "barrios apartados"? El auxiliar de clínica del hospital Saint-Antoine tiene razón: no soy simpática, no hago suficientes esfuerzos. Debería hacerlo sentir cómodo en lugar de recordarle todo lo que nos separa. Pero es verdad. Es exactamente eso: alejado de *su* centro. Yo también estoy descentrada para él (mientras que la Porte Dorée está francamente en las afueras).

—¿Qué quiere tomar?

—No sé…

Expira largamente, cruza los brazos, luego apoya la cabeza en el sofá. Tiene un bello perfil. Es tranquilo, elegante, atento. Es un hombre bien, sobre todo eso. Ha venido hasta mi casa. Ha subido los seis pisos. Está sentado a mi lado. Hay que acostumbrarse a esta nueva proximidad, eso es todo. Es normal, él no es Tito Morales, que me apoyaría la mano en el vientre apenas cerrada la puerta, ni mi efímero amante libanés que me sacaría los aros como si me desvistiera. Pero a cada quien su *timing* y su ritmo. Así que va a funcionar. Va a funcionar muy bien. Voy a hacer todo lo que haga falta para que esto salga bien. Me gusta mucho mi vestido verde, me gusta mucho mi Locura, y voy a servirnos una copa. Una copa de vino blanco por ejemplo. Un blanco bien fresco que tengo en la heladera y que va a distender la atmósfera. Una muy buena botella. Una botella excelente. Después algo para picotear, y va a ser perfecto.

—Ya son las siete, se puede pasar al alcohol. ¿Qué le parece?

Se vuelve hacia mí como si le acabara de hacer una propuesta indecente.

—¿Alcohol? No, no… No bebo a esta hora.

—¿No bebe? ¿Ni siquiera una copa de vino blanco, con pistachos verdes?

—¿Pistachos verdes?

Me parece que no soy lo bastante precisa.

—Pistachos crudos, ni tostados ni salados. Nada, al natural, tal cual son… Como las almendras, por ejemplo.

Esta vez es lo contrario: he sido demasiado precisa. No hay duda, algo no funciona. Hay algo que no funciona entre nosotros.

—¿Acaso tampoco come a esta hora?

Me hundo, seguro. Me hundo hasta las rodillas. No sé cómo voy a poder salir de esto bien parada.

—Escuche, también puede ser un poco de agua sin nada en absoluto. Agua de París, *onzième arrondissement*…

Me mira como si me estuviese burlando de él. Ya veo, piensa que me burlo de él.

—Oh, discúlpeme, estoy diciendo cualquier cosa. Hablo demasiado... No sé lo que me pasa, hoy. Estoy... Estoy descentrada, yo también...

—¿Descentrada?

No nos entendemos, es así.

—Dígame lo que quiere, será más sencillo.

—Todo bien, Valérie... –dice sin demasiada convicción.

Ya no sabe qué mirar ni qué hacer con sus manos. Yo empiezo a manosear mis aros, un clásico. Me doy cuenta de que no consigo ocultar mi decepción. Decididamente no sé cómo lidiar con esto. Ni con él ni con los otros. Yann tiene razón, seguramente, cuando dice que no sé lo que quiero. Soy una pobre niñita, es así... Soy una pobre niñita que no entiende nada sobre los hombres. Sin embargo yo quería hacer todo lo contrario, me acuerdo de mi primera cita después de mi parrafada sobre Hemingway. Pienso que debería cambiar algo en mi vida. Pienso que debería cambiar de país.

—Todo bien... –dice otra vez, como un eco que se va muriendo a lo lejos.

—No, no está todo bien.

Ya no es pánico lo que veo en su mirada. Es frío. Tengo frío al lado de él. Él también debe tener frío al lado mío.

—¿Sabe lo que vamos a hacer? Será lo más sencillo para los dos. Lo voy a acompañar hasta la puerta. Nos diremos adiós. Porque no tengo tiempo. Porque me voy para Buenos Aires.

—¿Buenos Aires? ¿Desde hace cuánto tiempo que lo sabe?

—Lo acabo de decidir.

24

Hojeo el álbum que el héroe de mi novela me ha confiado por
algunos días: recortes de diario más o menos amarillentos, progra-
mas de espectáculos, algunas fotos. Es su vida después del *Marconi*,
iniciada en una habitación del hotel PLM Saint-Jacques, en el *qua-
torzième arrondissement* de París, prestada por el Indio, su amigo
del regimiento, que trabajaba en ese mismo hotel como recepcionista. Vida de pequeños trabajitos, conseguidos por el propio Indio
en cocinas de restaurantes parisinos, vida de buhardillas y de rebus-
ques que habitualmente no figuran en la biografía oficial. Sin
embargo, el animalito todavía al acecho, se siente bien en París. No
está en una ciudad donde los choferes de taxi lleven guantes blancos, pero es mejor todavía: está en la ciudad que supo reconocer a
Gardel y que ha dado al tango credenciales de nobleza. Francia ase
convertirá de modo natural en su segunda patria. Más adelante, le
cantará a su hija la canción de Manuelita que vivía en un lugar de
Argentina y un día se va a París a pie (*Manuelita vivía en Pehuajó,
pero un día se marchó. Nadie supo bien por qué, a París ella se fue, un
poquito caminando y otro poquitito a pie*). Y además es en París
donde por fin hace lo que hasta ese momento no podía hacer: se
paga por primera vez en su vida clases de danza clásica y de jazz. Va
a la Alliance française para aprender el idioma y comienza a frecuentar el Comité sudamericano. Y también está José Milone.
¿Quién es José Milone? Es un uruguayo veterano que vive en una
buhardilla no lejos del metro Convention, frente al hospital Bouci-
caut. Hay dos cosas que Milone ama: Carlos Gardel y el vino tinto.
Siempre hay un montón de jóvenes latinoamericanos a su alrededor. Vienen a comer –Milone es un buen cocinero– y jugar a las
cartas. Juegan al truco. "Escribe: *el truco*; es un juego maravilloso
que yo soy incapaz de explicarte…", dice Coco. Cuarenta naipes

han desplazado la vida, escribe Borges a propósito de ese juego. Pero también viene para escuchar a Gardel. "Era increíble. El disco estaba tan gastado que se escuchaban los dos lados al mismo tiempo. Te imaginas a una banda de latinos que en una buhardilla del *quinzième* escuchan *El día que me quieras* y *Volver* simultáneamente", exclama.

A la noche, con el Indio, que es también su traductor, van a bailar. Coco se hace rápidamente al perfume de aquellos sitios, sabe muy bien adónde hay que ir: está La Coupole, Le Balajo, y también una vieja discoteca que él adora, La Scala, no lejos de l'Opéra, llevada adelante por un homosexual extravagante. En La Scala es donde trabará una relación muy importante. Una noche, con el Indio, asiste a un pequeño número de folklore argentino, ofrecido por una pareja de bailarines argentinos. Fascinado por esta pareja que baila en París el folklore de la Argentina, los va a ver tras bastidores. Y le proponen que vaya a entrenarse con ellos en la iglesia de Saint-Eustache. Coco descubrirá una compañía internacional de danzas folklóricas sudamericanas que se llama *Los Indianos*. Van a hacer un intercambio: Coco les va a enseñar el tango, y ellos las danzas folklóricas. Y harán algo mejor: proponerle que cree un número de tango dentro del espectáculo para presentarse con ellos. Ya está, Coco Días ha llegado por fin adonde quería estar: en el escenario. Y haciendo lo que desde siempre había querido hacer: bailar el tango.

—¿Qué estás haciendo, Balérie? —me llama por teléfono mientras yo sigo en el sofá, con Robert y con su álbum de fotos sobre las rodillas.

—No sé si me vas a creer, pero miro tus fotos de joven. Cuando bailabas con el grupo folklórico.

—Yo bailé con varios grupos. Tenían nombres graciosos: *Los Indianos*. O *Diablos de la danza*. Y *Karumanta*. Y *Malambo Latino*... Hicimos muchas giras juntos.

—Hay una que me gusta más que todas. Una foto, quiero decir. Ésa en la que estás con una rubia...

Una rubia sentada sobre sus rodillas, mientras Coco Días, también él en una postura tanguera, con pantalón a rayas, un frac y camisa blanca, mira hacia adelante, con una mirada lejana. Está muy guapo de bailarín joven, con el negro cabello ondulado. Pero lo que impacta no es la belleza del hombre joven, es su mirada brillante y precisa que se dirige a lo lejos y desafía a la tierra entera.

—Estoy con Brigitte, una alemana...

—También vi a Carolina Iotti.

No sé por qué tengo una fijación con Carolina Iotti alias Pampita. Tal vez sea ese sobrenombre (los argentinos adoran los sobrenombres) o su belleza extraña: "Una cruza de Dolores del Río con la Mona Lisa", dice un recorte de prensa canadiense, que declara que, aún si bailara con Fred Astaire, nadie tendría ojos más que para ella. "Baila con un bailarín más conocido e igualmente cautivador: menudo, hábil, lleno de espíritu, maravillosamente controlado y ágil, Coco Días."

Pero Carolina Iotti llega más tarde en la vida de Coco, mucho después de Trottoirs de Buenos Aires, lugar mítico de la cultura argentina en París cuyo padrino fue Julio Cortázar, inaugurado en noviembre de 1981 por el Sexteto Mayor, donde Coco va a bailar regularmente y a dar sus primeras clases de tango. También es después de la venida a París de Osvaldo Pugliese y su gran orquesta. Porque, atención, el héroe de mi novela, ése con el que yo bailo en la Porte Dorée, ha bailado para Pugliese, uno de los más grandes compositores de tango, a quien hago una reverencia cada vez que bailo uno de sus tangos. Y no soy la única: me acuerdo de escenas en los baños de damas, en Buenos Aires, en las que, desde el momento en que se oían los primeros acordes de un tango de Pugliese, se abandonaba todo, el rouge, el peine, el cigarrillo, para precipitarse a la sala. O bien de Tito Morales, que me decía muy serio: "Cuidado, linda, si bailamos este Pugliese juntos, te vas a enamorar de mí...". Hay, pues, sobre mi sofá, un recorte de prensa argentina del 26 de noviembre de 1984, que titula: "El tango de fiesta en París", y cita los célebres tangos tocados por el autor y su orquesta: *Corrientes y Esmeralda*, *La Yumba*, *La Mariposa*, *Recuerdo*, y el célebre *Volver*, el tango de los tangos que José Milone escuchaba una y otra vez en su buhardilla. También está el programa, impreso en blanco y negro y fucsia: *Fresque musicale, avec Osvaldo Pugliese et son grand orchestre.* Al dorso, fotos de parejas de bailarines en blanco y negro, entre ellos el héroe de mi novela.

—Me gustaría ver otras fotos tuyas, Coco…

De repente se hace un silencio del otro lado.

—Pensé que no querías.

—Cambié de opinión.

Intento sonreír, quiero decir: intento sonreír para que el me oiga.

—Es todo lo que puedo hacer en este momento, mirar tus fotos…

—¿Por qué?

—Tuve un accidente de bici. Me cuesta caminar. Así que mucho menos bailar, imagínate…

—¿Un accidente? ¿Por qué no me lo dijiste antes? Te habría ido a ver, Balérie…

He hecho bien en no decir nada; no quiero más visitas en mi Locura, no más comentarios sobre mi manera de vivir, el living sin muebles y las paredes vacías… Y además, no acostumbramos ocuparnos verdaderamente de mí, nosotros dos, así que es mejor de esta manera.

—Hay otra cosa que no te he dicho, Coco. Algo importante.

—Sí, Balérie…

Me he acostumbrado a ese "Balérie"; si de pronto me llamara Valérie, me sonaría falso.

—Espero que no lo tomes a mal. No se trata de ti… En fin, sí, en cierto modo…

No sé cómo decírselo; jamás le he contado nada de mi persona, así que no es ahora cuando voy a comenzar. Pero más valdrá que le hable de ello tarde o temprano, y no vale la pena tergiversar y ponerse a dar vueltas alrededor, aún cuando se lo va a tomar a mal, sin duda, ya lo voy conociendo. Se va a erizar y sacará sus garras, va a decir que no soy seria y que no puede contar conmigo, mientras que él se porta siempre como es debido.

—Vamos a parar un poco, Coco. Hablo de la Porte Dorée.

—¿Qué quieres decir?

—Que no puedo ir por algún tiempo.

Marca un silencio que dura demasiado.

—¿Por qué?

—Porque me voy a Buenos Aires...

Suelta una carcajada.

—Yo también, Balérie.

—¿Qué?

—Vamos a ir para el bautismo de Gaëtan. Yo, Francesita y Gaëtan.

—¿Por qué no me lo dijiste antes?

—Soy como tú.

—¿Cómo como yo?

—Lo hago a último momento. Pero nos vamos a encontrar allá... Vamos a ir a bailar... Te voy a llevar a mi barrio...

25

Nos vamos a ver allá, vamos a ir a bailar, me va a llevar al barrio de su infancia... Yo no lo veía del todo así. Quería tomar un poco de distancia, no pensar más, olvidarme durante algún tiempo, a mí, Valérie Nolò, pero también a él, Coco Días, e incluso a mi novela; contaba con partir sin mi cuaderno de tapas color arena. Tenía necesidad de verlo de lejos, desde el otro extremo de la tierra, de vivir por algún tiempo –tres semanas, un mes, ¿acaso es mucho?– sin él, sin cuaderno, sin la Porte Dorée. Me decía que hay una primera parte, la de nuestro encuentro, el encargo, el contrato, el negocio, no sé cómo hay que llamarlo. Después habrá una segunda parte, la de después de mi regreso. Y entre las dos, una página en blanco, para recobrar aliento, para marcar claramente la separación. De manera que acabo de enterarme no habrá nada de eso. Ninguna página en blanco, nada de separación, ninguna distancia, nada de la vida sin Coco Días. No se abandona tan fácilmente la Porte Dorée, nuestra piecita cuadrada y la doble hilera de palmeras; la llevamos en nosotros; o mejor: la encontramos en otras partes; por lo demás, siempre he tenido la impresión de estar en otra parte cuando estoy allí.

Pero tengo por lo menos dos problemas a resolver antes de ir a buscar la puerta dorada en otra parte lejos de la Porte Dorée: el dinero y Robert, el viejo gato. Así que no es cuestión de anunciar mi viaje a diestra y siniestra o de soñar despierta. Porque no, yo no soy Agathe: no tengo cuadros de mi ex-marido que valen una pequeña fortuna. No tengo nada que vender. No tengo traducciones importantes a la vista, ni Conferencia Alpina ni conferencia sobre el calentamiento global. No puedo ir a pedirle un adelanto a mi editor, ni siquiera sabe que entre tanto he cambiado de novela. No quiero pedírselo a Yann; no espera otra cosa que eso, ayudarme, estar allí cuando lo necesito. Tampoco quiero hacerle una llamada al hombre de las cuatro iniciales, que me había enviado un ramo después de la velada catastrófica en casa, un ramo desnudo, sin comentario, lo cual, según yo, debe querer decir: sigo siempre aquí, hasta puedo prestarle dinero, si usted quiere... No me queda otra cosa que la lotería nacional, o bien un llamadito a Giovanna y a Gaby; nunca se sabe, tal vez tengan demasiado trabajo y me pueden pasar una parte como a menudo lo hacen sin que yo las llame. O una de esas sorpresas divinas, en las que no creo, nunca he tenido suerte por ese lado.

Me equivoqué. Porque cuando comienzo a desesperar, a decirme que no estoy obligada a ir, que puedo hacer alguna otra cosa, ir a bailar con Malik a Marsella o hacer un viaje a la Camargue o simplemente una gran vuelta en bici por París, la sorpresa divina cae del cielo en la forma de una redifusión de una de mis obras radiofónicas, acompañada por un cheque. Doy un grito de alegría que espanta al pobre Robert que se escabulle hacia la cocina. Me precipito al teléfono, tengo que contárselo a alguien.

—Natacha, ¿te acuerdas de una pieza radiofónica de la que te hablé, hace unos dos años, no, incluso más, dos años y medio...? ¿Un encargo de France Culture?

—¿Qué pieza, qué encargo?

—*Entré dans ma vie par la fenêtre...*

—¿Entró en tu vida por la ventana?

—Es el título. Es la historia de una restauración de fachada... No, no, es la historia de una mujer, una pianista... Ella se está sirviendo un café cuando ve a un tipo que la observa en la ventana. Ella vive en un sexto piso, como yo, entiendes...

—Sí, entiendo...

—Ella le convida un café... Lo invita a entrar... Es una muy linda historia. Porque la persona que está ante ella no es para nada un pintor de edificios como se podría creer...

—No veo en absoluto adónde quieres llegar, Valérie...

—Cuento muy mal, de eso no hay duda. Pero no es importante. En fin, sí. Porque hubo una redifusión...

—¿Es por eso que me llamas?

Natacha tiene un don particular: el de enfriar mis impulsos. De repente, como por arte de magia, ya no salto de alegría. Estoy sensatamente sentada en mi sofá, con Robert, que ha venido a mi encuentro, sobre mis rodillas.

—No, no te llamo por eso. Te llamo por Robert.

—¿Robert?

No parece saber de quién le estoy hablando. Me da la impresión de que hay alguien al lado de ella. Me parece que hay una voz que murmura muy cerca.

—Tu gato…, mi gato, ya no sé.

—¿Se ha muerto?

—No, no, está muy bien. Se porta encantadoramente.

—¿Entonces qué es lo que pasa, Valérie?

No tiene tiempo de hablarme, por eso tiene algo como de irritación en su voz. Está quizá en la cama, con un hombre que le acaricia los senos mientras ella está obligada a escucharme y a responder. Pero habría podido decirlo desde el principio, en lugar de dejarme largar toda esa parrafada sin pies ni cabeza sobre mi obra radiofónica.

—Tendrás que tenerlo contigo por algún tiempo. Tres semanas, no más… Hasta que yo vuelva de Buenos Aires…

—¿Buenos Aires?

—Me voy a Buenos Aires.

—No, no puedo, Valérie. Imposible…

—¿Cómo, imposible?

—Imposible…

—No sé qué hacer con él, Natacha. No lo voy a dejar solo. No conozco a nadie que pueda venir a alimentarlo y hacerle compañía. Diez minutos por día, eso alcanza. Tú lo conoces. Es un gato muy afectuoso, lo sabes bien. Era tu gato…

Guarda silencio durante algunos instantes. Ya no oigo a nadie del otro lado. Me equivoqué, no hay nadie con ella. La irritación en la voz, la sequedad, es natural en ella. Es ella.

—Lo puedes hacer pinchar.

—¿Qué?

—Está viejo, tienes que entender... Debe tener por lo menos... por lo menos... La verdad, no sé... No sé qué edad tiene exactamente. En todo caso, es viejo, sabes, ya no le queda mucho tiempo. Me oyes... ¿Por qué no respondes? Valérie... ¿Valérie? ¡Valérie!

26

Viajamos tres semanas más tarde, una tarde del mes de marzo, en el vuelo de Air France. Aterrizamos en el aeropuerto de Buenos Aires a la mañana del día siguiente, en medio de un espléndido otoño, mi estación preferida. Rok, chofer de taxi, un rubio alto y buen mozo de origen eslavo (no, esloveno, para ser más exactos) a quien conocí hace dos años, en mi primer viaje a esta ciudad, nos espera en el aeropuerto. No lo puede creer cuando me ve llegar con una gran caja de plástico y un animal que se mueve adentro. Se lo advierto enseguida: no quiero hablar del gato, ni siquiera pienso pronunciar su nombre, con esto es suficiente, ya se ha hablado bastante de él hasta aquí, y ya he tenido bastantes problemas con él, vacunaciones, chip electrónico, maullidos durante todo el viaje... Porque no he tenido otra solución que traerlo conmigo, cuando no es ni siquiera mi gato, en fin, sí, ahora sí, ahora es mío, es oficial, hasta lleva mi nombre, así que hablemos de otra cosa.

Metemos nuestras cosas, incluido Robert, en su taxi negro y amarillo y tomamos la autopista para Buenos Aires. Es temprano y el cielo, brumoso, no parece estar del todo despierto todavía. Rok ha alquilado un pequeño departamento para mí, en un barrio que no conozco, pero que me va a gustar, está seguro. Se llama Barrio Norte, está detrás del cementerio de Recoleta, y no lejos del hospital Alemán y de las librerías de la avenida Santa Fe, y de las milongas a las que voy a ir, se acuerda muy bien de mis costumbres.

Está contento de verme. Realmente no he cambiado desde la última vez. Tal vez el pelo, pero nada más. Oh, sí, he cambiado... Va a tener que mirar un poco mejor. Todos cambiamos en dos años, sobre todo después de los cuarenta. Me mira otra vez. De acuerdo, si insisto, un poco he cambiado. Yo también estoy contenta de estar aquí, aunque no despliegue una amabilidad abrumadora, él ya me conoce. Hasta el último momento, no estaba realmente segura de poder viajar. Así que me tengo que pellizcar para creerlo; en una larga noche, cambié de continente, de estación, de luna… Estoy sentada al lado de mi chofer de taxi, lo puedo decir así, ¿verdad?, vamos por la *autopista* hasta la *Capital Federal,* como se llama a la ciudad de Buenos Aires. En fin, no exageremos, digamos que es como con el tango: una cuestión de afinidad. Como con él, Rok, chofer de taxi, pues, pero también cantante de música coral, historiador, guía turístico, y sobre todo psicólogo y psicoanalista, como la mayoría de los choferes de taxi en Buenos Aires. Es lo mismo: otra historia de afinidad. "¿Estás triste? Se diría que estás triste, me había espetado, con la mirada en el retrovisor, cuando subí por primera vez a su taxi para ir a la avenida Belgrano, frente a la iglesia de Santa Rosa de Lima. –Sí, un poco…, había respondido yo, en el asiento de atrás; siempre es fácil hablar de sí mismo con los desconocidos. –¿Y por qué? –Porque estoy enamorada de mi maestro de tango, y él no piensa más que en el dinero que me puede sacar… –Es normal… –¿Qué es lo que es normal? –Que estés enamorada de un bailarín de tango y que él se quiera aprovechar. Es una cuestión comercial, también, el tango, vos lo sabés. ¿No serás una ingenua como todos los turistas, espero? –¿Ingenua? –¿Sos inglesa? –¿Inglesa, yo? –¿O sueca? –¿Por qué, tengo aspecto de sueca? –No… Tenés razón. Hablás bien el castellano, en cualquier caso. Sos… –… soy francesa. Medio francesa, medio no sé qué… –¿Cómo que no sabés?" Se había dado vuelta hacia mí. No entendía. Así que se lo había empezado a explicar. Por otra parte debe ser eso, el psicoanálisis: uno está a espaldas de alguien que no conoce, él hace la pregunta justa, la pregunta que hace clic, y ahí se arranca con todo, uno se pone a hablar de papá y mamá… Después se levanta, paga, cierra la puerta detrás de sí hasta la siguiente sesión. Por mi parte, en todo caso, hacía mucho tiempo que no hablaba de mi madre de esa forma. Su condición de adoptada no era realmente un secreto de familia, sino un tema que se esquivaba cuidadosamente, como algo que hubiese que evitar, no abrir en vano unas compuertas que podían dejar entrar algo que lo destruiría todo a su paso. De modo que me las tendría que arreglar

sola. Me puse a hojear sus papeles. La espiaba. La observaba con
método y obstinación como si fuese a descubrir una parte de mí que
no conocía. Mi madre, química en un laboratorio médico, tenía una
tez nórdica, una mirada latina, una melancolía eslava y una raciona-
lidad bien cartesiana a la francesa. Le encantaban la ópera italiana,
los autores rusos y la costa normanda; ella y mi padre podían caminar días enteros por la playa de Trouville. Al cabo de algún tiempo,
me vi obligada a rendirme a la evidencia de que tenía demasiados
indicios y ninguna certeza y de que tal vez estaba bien así. Pensán-
dolo bien, yo no tenía nada contra esa parte indeterminada y extranjera de mí misma, todo lo contrario: con los años, comenzaba a rei-
vindicarla, a sentirme extranjera en mi propio país. Ésa es seguramente la razón por la que quería aprender idiomas: cada nuevo
idioma podía revelarse una lengua materna. Tal vez era medio argentina... Y por eso es que me gustaba el tango, y Buenos Aires. O
medio... ¿de qué origen era, él? "Eslovenia... –¿Eslovenia?" O
medio eslovena. O alguna otra cosa... ¿Es realmente importante,
este asunto de los orígenes? Después de un rato habíamos llegado
ante la iglesia Santa Rosa de Lima. Él me había mirado largamente,
me había dado su tarjeta y me había propuesto mostrarme Buenos
Aires como nunca la había visto todavía. "Llamame cuando quieras... Podés contar conmigo", dijo, como buen chofer-psicoanalista.

    ¿Quiero que haga un desvío por la avenida 9 de Julio, para
ver el obelisco y los jacarandaes en flor? Porque él se acuerda, a
mí me encantan los jacarandaes. No, me gustan todos los árboles
de Buenos Aires, sin excepción. Podemos pasar por la avenida de
Mayo y tomar algo en el café Tortoni. O bajar hasta Libertador
para ver la Recoleta, y tirarnos hasta Palermo y la placita Julio
Cortázar. O dar un salto hasta San Telmo y la plaza Dorrego. O
dar una vuelta por Santa Rosa de Lima, en honor de nuestra primera clase juntos. Entonces, ¿qué elijo? ¿Y si pasáramos simplemente por la avenida Entre Ríos, para después seguir derecho
por Callao? Estoy cansada, casi no he dormido en el avión, sin
hablar de mi compañero de viaje que ya no puede más de tanto
estar en su caja.

Muy bien, vamos a hacer como yo digo. Vamos a tomar por avenida Entre Ríos, vamos a seguir por Callao, después vamos a doblar a la izquierda, por Arenales, como en la *Balada para un loco*, el tango de Horacio Ferrer y Astor Piazzolla. Después vamos a tomar Larrea, que yo no conozco. Y Juncal, que tampoco conozco, hasta Azcuénaga. Allí es donde me va a dejar: en la esquina de Azcuénaga y Juncal. Ésa será mi nueva dirección. Ya está… Llegamos. Una calle recta bordeada de acacias (todas las calles de Buenos Aires son rectas y bordeadas de árboles). Una verdulería en la esquina. Un café. Un quiosco de diarios. Edificios distinguidos de seis pisos, muy *Art déco*, inmuebles modernos como se los ve por todas partes, un supermercado, y de repente un viejo petit hotel ruinoso… Es la falta de urbanismo lo que le da un encanto tan particular y paradójico a esta ciudad. La división insoportable entre los barrios ricos y los barrios pobres. La separación cínica entre la opulencia y la miseria. El tiempo que se apresura y el tiempo que se arrastra.

Estaciona. Para el reloj. Se vuelve hacia mí. Ni siquiera me ha preguntado cómo estoy. ¿Estoy bien? ¿Sigo escribiendo? ¿Qué voy a hacer en Buenos Aires?

Lo miro. Reflexiono antes de responder, me tomo mi tiempo: he aprendido a decirle lo que tenía en el corazón, y además, de todos modos, el inconciente está estructurado como un lenguaje, ¿no? Así que, justamente, no sé qué decir. Hay que confesar que no me cuestiono demasiado cómo estoy. Tomo las cosas como vienen. Tomo todo, lo bueno, lo no tan bueno, lo malo… Estoy en una novela. La he traído conmigo. Va a seguir aquí. Pienso incluso que es aquí su verdadero lugar, en Buenos Aires. Es aquí donde va a adquirir una dimensión diferente, donde va a tocar el fondo, su extremo doloroso. Todavía no sé, pero me parece que va a ser así, que no puede ser de otra manera. Me confío a ella, de todos modos, no tengo opción… ¿Confiar en quién? En la novela. Le explicaré todo esto otro día, estoy cansada, me voy a ir a dormir un poco. ¿Cuánto le debo?

27

Algunas horas más tarde, es el héroe de mi novela el que me saca de un sueño profundo. Está en Resistencia, en casa de su padre, en la provincia del Chaco, en el noreste de Argentina, con Gaëtan y Francesita. Le gustaría que vaya a reunirme con ellos por unos días. Reservó una habitación de hotel para mí. No queda tan lejos de Buenos Aires: mil doscientos kilómetros, una noche de ómnibus, no es nada. Y además es muy cómodo, se puede dormir o mirar el paisaje... Porque es importante, dice. Le gustaría que yo vea el lugar donde nació. Una región hermosa, una linda ciudad también, con un aroma muy particular, sobre todo después de la lluvia...

—¿Qué pasa? —dice cuando se da cuenta de que no estoy muy entusiasta.

—Me acabas de despertar.

—Pero no hay que dormir cuando uno llega, Balérie. ¿Si no esta noche qué vas a hacer?

—Voy a ir a bailar.

—¿Vas a ir a bailar?

—Hmm...

—¿Adónde?

—Estamos a jueves... ¿Hay que ir a El beso, si recuerdo bien?

—No sé. Sí, puede ser... Es un salón chiquito... Muy chiquito...

Se aclara la voz como si quisiera marcar una pausa antes de volver a la carga.

—¿Pero cuándo podrás venir para acá?

Esta vez soy yo la que marca una pausa.

—Va a ser difícil, Coco. Muy difícil. No estoy sola...

—¿No estás sola?

—No.

Otra vez hay un blanco en nuestra conversación, más largo que
el anterior.

—¿Con quién estás?

—Con Robert.

—¿Robert?

—Robert.

Y no hay puntos suspensivos después de "Robert". Es un punto.
Un punto que significa que no habrá detalles. Robert es Robert, y
no vamos a prolongar el debate. De todas maneras, he decidido no
hablar de él por algún tiempo; la gente no tiene por qué saber que
duermo al lado de un gato, que no me puedo sentar sin que él
venga a acurrucarse contra mí, que el señor viaja conmigo y todo lo
demás, está bien así. Y además no tengo ganas de hacer mil doscientos quilómetros en ómnibus, aunque sea muy cómodo, para ir
a aspirar el olor después de la lluvia de una pequeña región perdida
en el noreste de la Argentina, en la frontera con el Paraguay. Me
parece que es posible escribir sobre Coco Díaz sin conocer el aroma
de su provincia natal, por no mencionar el hecho de que no pasó
allí más que los primeros años de su vida; y además Resistencia no
es su *barrio*, con el que me llena la cabeza desde que lo conozco.
Tampoco soy su pintor oficial, que lo sigue mientras viaja. Estoy
escribiendo sobre él, de acuerdo, pero será como yo lo entiendo, y
no como él quiere. Así que por el momento, prefiero tomar una
ducha, vestirme, maquillarme, perfumarme, e irme tranquilamente
a mi primera milonga. Puedo vivir mi vida sin Coco Días durante
algunos días, serán como vacaciones.

Cuando más tarde, vistiendo mi pollera más linda, mi blusa
verde a lunares y con mis zapatos de tango en el bolso, camino por
la calle Riobamba y avizoro a lo lejos la puerta roja de El Beso,
siento esa misma excitación, el mismo estremecimiento en el bajo
vientre que si estuviera en París y me acercara a la rue du Temple.
Entonces apresuro el paso, me esfuerzo por no correr, por no subir
los escalones de dos en dos para alcanzar el primer piso, detrás de la
puerta número 416, de donde salen esos acordes de tango que vienen a mi encuentro. Como en París, me detengo en lo alto de la

escalera para ver si conozco a alguien; como en París siendo el corazón latiéndome en las sienes. Pero la comparación llega hasta ahí. Estoy en otro mundo.

"Hola, linda, ¿cómo estás?", me reciben Oscar y Lucía, organizadores de la milonga del jueves a la noche, como si nos hubiésemos visto ayer. Me proponen una mesa en la segunda fila, no es la mejor, pero al menos estaré a la vista, no tengo de qué preocuparme, dice Lucía. No me preocupo. Yo sé que acá no me voy a pasar toda la noche esperando que alguien me quiera invitar. Si tengo ganas de bailar, voy a bailar, y no con cualquier bailarín, sino con el que yo elija. No estoy sentada en la primera fila, pero me ven y yo veo y voy a poder entrar en el juego mágico de las miradas. Porque es así como ocurre en Buenos Aires, ¿me entiendes?: uno se habla con los ojos. Uno se ficha, se busca, pasa con su mirada una primera vez para ver si ha sido bien visto. Después vuelve a pasar, y esta vez va directo, expresa sus ganas, dice su deseo. Se ve claramente que él nos ha visto, incluso si mira para otro lado o hace como que no nos vio, sólo quiere hacer durar el juego un poco más, es delicioso, todo esto, así que no hay que privarse de nada. Y uno espera su respuesta con inquietud, febrilmente, como si nuestra vida dependiera de ello. Es entonces cuando su mirada regresa, se detiene en uno, nos hace un cabeceo, leve, un levísimo signo con la cabeza, apenas perceptible para los demás, para indicar que la cosa marcha, que él también tiene ganas de que bailemos juntos, que se va a levantar y nos va a venir a buscar. O bien dice que va a bailar más tarde, como Tito Morales, todo el tiempo me decía eso: vamos a bailar más tarde, otra tanda, es decir otra serie de cuatro tangos. Le gustaba hacerse esperar, adoraba hacerse desear, le encantaba hacer vibrar el aire entre nosotros. O bien su mirada decía rotundamente: cuidado, chiquita, si bailás estos tangos conmigo, estás frita, no vas a poder resistir, te vas a enamorar de mí. Lo cual sucedía fatalmente, y no sólo a mí. Todas las mujeres, y no solamente en El Beso, sino también en Canning, Niño Bien, Gricel..., estaban enamoradas de él, por lo menos durante el lapso de una serie de cuatro tangos que bailaban con él.

Pero él no está acá, esta noche, lo verifiqué al entrar: su mesa en la primera fila, cerca de la barra, está ocupada por alguien a quien no conozco. Bernardino, mi primer maestro, el que me enseñó a abrazar y que me llamaba *muchachita*, tampoco ha venido. Los otros están sentaditos en sus mesas como la última vez que los he visto aquí, hace dos años. "Tengo mi mesa en el Niño Bien", me dijo una noche un bailarín con el mismo tono que emplearía un escritor francés para anunciar que ha ganado el Goncourt. Y está Alberto, el pintor que lleva una gruesa cadena de oro alrededor del cuello y baila muy bien los valses, acodado junto a Héctor, organizador de milongas, que casi no baila, sólo mira, viene al espectáculo. Una mesa más allá, está Rubén, el gran Rubén, un bailarín por el cual yo no iría hasta el fin del mundo pero de todos modos sí bastante lejos. Y Jorge, el alcohólico, el triste caballero de la Pampa. Y un muchacho joven, de camisa blanca, al que no conozco y que realmente no tiene facha de bailarín de tango. Y mi amigo Silvio Kantor, el viejo sindicalista que siempre me daba lecciones de historia y de política argentina entre tango y tango: "No te olvides que éste es un país que hizo desaparecer a treinta mil personas durante la dictadura", me contaba para atemperar mi entusiasmo por esta ciudad. Y otro Jorge más, siempre mucha clase, se diría el hombre de las cuatro iniciales, exilado en Argentina, con un aire pícaro además, bromista, pero que realmente no se preocupa por su salud; bebe, fuma, se pasa las noches dando vueltas en el baile; sólo baila de vez en cuando, algún tango que le gusta con locura, con una mujer que también le gusta, indefectiblemente. Está Mario, abogado, el intelectual de la partida, que habla inglés y se conoce de memoria todas las orquestas. Está Dani el Flaco, una gloria internacional, el amigo del inmenso Carlos Gavito, muerto hace un año. Y después está la otra mitad del salón, a la que no conozco.

¿Entonces con quién voy a bailar? Con Dani el Flaco no, porque él no baila; viene, saluda a todo el mundo, muy digno, muy erguido, los cabellos blancos y la cabeza en alto, se sienta en su mesa, enciende un cigarrillo, pide un café; viene porque las milongas son su vida, es lo único que sabe hacer. Con Rubén tampoco, porque mira para otro lado; los bailarines de tango, sobre todo los que vienen los jueves a la noche a El Beso, cuando quieren pueden ser muy esnobs. Tampoco con Jorge, aunque lo bombardeo a miradas, no es el tango adecuado y la noche acaba de empezar... Quedan Silvio, Alberto, el muchacho joven de la camisa blanca, y todos los que todavía no conozco, es decir casi todo el mundo. Pero el segundo Jorge tiene razón: tengo todo el tiempo por delante. La noche acaba de comenzar y estoy aquí. Por fin llegué. Por fin estoy en Buenos Aires.

28

Vi a Fabián por primera vez al día siguiente, en la calle Maipú –donde vivió Borges–, en el número 444, primer piso. Hay mucha gente en la pista, pero sólo se lo ve a él.

—No me gusta demasiado cómo baila –me dice entre dos tangos Silvio Kantor.

Comprendo enseguida de lo que habla.

—¿Por qué?

—No sé…

—¿Estás celoso?

—Estoy celoso porque te gusta a vos, corazón…

—¿Quién te ha dicho que me gustaba?

—Tengo treinta años más que vos, hace cuarenta que ando por las milongas, así que dejame adivinar ciertas cosas, amor… Pero estoy contento de verte otra vez, para que lo sepas.

Yo también estoy contenta de verlo. Me encanta cuando me llama "corazón" o "amor" o "Margot Fontaine". Es uno de esos viejos milongueros de Buenos Aires ante los cuales uno tiene ganas de hacer una reverencia cada vez que se los encuentra. Siempre en la misma mesa, siempre impecable, siempre respetuoso y galante, acatando desde hace cuarenta años los mismos pasos, las mismas figuras, con la misma pasión y la misma concentración. Salvo que Silvio Kantor, hijo de inmigrantes judíos rusos, tiene algo que los otros no tienen: conciencia política.

—No te creas lo que dicen los diarios y la televisión –me dice, parado en la pista mientras esperamos un nuevo tango–. Las cosas no van realmente mejor en este país. Nunca hubo tanta gente que pasara hambre. Nunca hubo tantos cartoneros… Es la miseria escondida. La miseria que se ve solamente a la noche. Imaginate, la gente que duerme en la calle, que revisan la basura para ir a vender el papel y los cartones por algunos pesos... Para poder comer... En un país que es rico, que podría alimentar a todo un continente... ¿Me escuchás, Margot?

Lo escucho, sí, desde luego que lo escucho, sin dejar de seguir con los ojos a ese otro bailarín que no puedo evitar mirar. Sin embargo no es un hombre seductor ni elegante. Bastante alto, de pelo negro, de rostro obstinado, el cuello hundido entre los hombros: un *morocho*, un *moreno*, con sangre siciliana, española e india en las venas. Lleva un vaquero viejo, camisa gastada, zapatos de baile con mucho uso. Pero apenas se nota. Lo que se ve, lo que aflora en el rostro, es la gracia insolente con la que se mueve sobre el parqué, la sensualidad bruta de un animal salvaje que corta el aliento y contrasta con la sutileza de sus pasos. Baila con una chica joven que usa una larga cola de caballo, que, a cada giro o balanceo, caracolea ante su rostro como un látigo. Se nota enseguida que están acostumbrados a bailar juntos, se nota enseguida que son amantes y que están más o menos solos en el mundo; por lo demás se sientan a la misma mesa y sólo bailan entre ellos.

—¿Estás segura de que me escuchás, corazón? –pregunta Silvio.

—Sí, claro que te escucho...

Vuelvo a verlo algunos días después, en el mismo lugar, en uno de esos momentos en que el tiempo comienza a estirarse, cuando ya no pasa nada y yo me digo por tercera vez que hay muchas otras cosas para hacer en Buenos Aires aparte de frecuentar las milongas. Porque desde que llegué, no hago otra cosa que eso: bailar el tango. Así que me puedo ir, puedo ir a caminar por mi barrio, puedo ir a comer, a tomar una cerveza... Además, me han ubicado al lado de una francesa que no para de quejarse, el climatizador está demasiado fuerte, falta el aire, el café no es bueno... Me pregunto qué querrá, no tengo ganas de hablar con ella; dicho de otro modo: hoy no es un gran día. Está llegando el momento en que quiero levantarme y salir. Lo reconozco enseguida, está vestido como la última vez, el mismo pantalón, la misma camisa. Y está solo.

De repente ya no tengo ganas de irme. Voy al baño, me pongo lápiz de labios y echo un vistazo a mi reflejo en el espejo: lástima no haber tenido el tiempo de lavarme el pelo, que no me puse mi vestido naranja, y además tengo ojeras, es espantoso, pero habrá que seguir adelante con ojeras y todo. Regreso a mi lugar, pido otra copa, tengo todo el tiempo del mundo. Él tampoco está apurado. Entretanto se ha puesto sus zapatos de baile, se ha pedido una cerveza. Y empieza a mirar a su alrededor. Me doy cuenta de que me ha visto, pero no debo ser la única que lo mira y que quiere bailar con él. No, hay una mujer de cabello muy corto, un centímetro apenas, o quizá dos, que se levanta y se reúne con él en la pista. Tanto mejor, así lo voy a poder observar tranquilamente. A veces uno se puede equivocar, encandilarse con alguien, a la siguiente vez se muestra sin brillo, ordinario, banal.

Enseguida comprendo, al cabo de algunos compases de una milonga alegre y rápida, que no es para nada el caso: no me equivoqué. Es la misma gracia, la misma fluidez, la misma sensualidad que se desprenden de él y me salpican cuando pasa a mi lado. Tengo ganas de cerrar los ojos, y de acelerar el tiempo hasta la próxima tanda que la va a bailar conmigo, no tengo duda, no puede ser de otra manera.

Pero todavía no es mi turno. Esta vez, es el de una rubiecita menuda y mal vestida, que, si observo atentamente, no baila para nada tan bien. Es blanda, no responde a sus iniciativas, no es precisa con sus pies. Tampoco lo sabe abrazar. No pone en eso el corazón. Sin mencionar el hecho de que lleva una pollera plateada que no le queda nada bien y que no tiene el menor encanto.

Después viene la tanda de Ana María, a quien conozco de antes. Es una psicóloga, esposa de un célebre psicoanalista, que a menudo viene a bailar al comienzo de la noche: pone sobre su mesa unas pastillas de menta para refrescar el aliento, baila una hora o dos antes de ir a reunirse con su marido que viene de cenar o de alguna conferencia. Siempre la ubican con otras tres o cuatro psicoanalistas, siempre las mismas, mejor vestidas y más distinguidas que las otras bailarinas.

Y después llega el turno de las dos amigas de Ana María. Y el de la francesa que se sienta a mi misma mesa. Hay algo conmigo que no funciona. Está esta francesa (que se cree el centro del mundo) y al lado de ella, en la misma mesa, en mi lugar, no hay nadie. Me he vuelto transparente. No me ven. No existo. Ah, Dios indiferente, ¿qué estoy haciendo en este salón cualquiera, con algunos viejos, una caterva de psicoanalistas, una rubiona que baila mal, y esta francesa a la que nada le viene bien? ¿Por qué quiero bailar con un tipo que, igual que Tito Morales, se hace el que no me ve (salvo que él no viene a la milonga con un vaquero viejo, una camisa desteñida y unos zapatos podridos)? ¿Quién me ha metido esta idea en la cabeza? Yo sé hacer otras cosas en la vida. Sé leer, sé contemplar pintura, sé vagar... Puedo ir a ver el retrato de Lisbeth, la segunda esposa de Rembrandt y los dos Manet en el Museo de Bellas Artes. Puedo releer el *Diario* de Gombrowicz, adoro su espíritu desmitificador, iconoclasta, antinacionalista, anti-lírico, anti-mayúscula en una palabra. Puedo ir a ver si su café *Rex* sigue existiendo. Puedo hacer turismo, tomar el avión e ir a ver las cataratas del Iguazú... O incluso el muy cómodo autobús nocturno para Resistencia...

—¿Querés bailar?

Alzo los ojos. Es él. Está delante de mí, me tiende la mano. Eso no se hace en Buenos Aires, un hombre no viene a buscar a una mujer, aunque la sala se esté vaciando y se estén por pasar los últimos tangos.

—Ya casi termina.

—Son los temas más lindos. ¡Vení!

Lo detesto. Lo detesto, porque termino por levantarme y seguirlo a la pista. Lo detesto porque no espera que yo apoye mi brazo sobre su hombro, sino que lo hace él: me toma la mano izquierda y la hace deslizar dulcemente, muy dulcemente sobre su cuello. Lo detesto porque comprendo, al cabo de algunos segundos, que sus brazos están hechos para mí y los míos para él. Lo detesto porque siento que mi corazón se pone a escuchar el suyo como si fuese el mío. Lo detesto porque sé de antemano que lo voy a amar.

29

—¿Querés que vayamos a bailar a otra parte, Bailarina? ¿A Gricel o a Niño Bien? —me pregunta cuando nos encontramos afuera, en la calle Maipú, y nos ponemos a caminar hacia el obelisco y hacia la avenida 9 de Julio.

Es una hermosa noche cálida, como si estuviéramos en pleno verano.

—Te digo Bailarina porque no sé cómo te llamás.

Me gusta. Quiero ser la Bailarina.

—Yo soy Fabián. Entendés castellano, ¿no? Te vi hablar con Silvio, la otra noche.

Hago que "sí" con la cabeza. Entiendo bien el español, sí, muy bien; es tal vez, quién sabe, mi lengua materna.

—Me pagaron para bailar con todas esas mujeres que estaban ahí esta noche —dice de pronto, como si fuese una idea que se le acababa de cruzar.

Me detengo, me vuelvo hacia él, no comprendo.

—Sí, conozco a la organizadora de esta milonga. Ella me paga cuando no hay muchos buenos bailarines. Como esta noche. Pero ahora estoy libre. Puedo ir a bailar adonde quiera, con quien quiera…

Lo sigo mirando sin decir nada.

—No tenés ganas de hablar todavía, ¿es eso?

Sí, es eso, lo ha adivinado: todavía no tengo ganas de hablar. Hay demasiadas cosas que se aglomeran en mi cabeza. Tengo que calmarme. Tengo que acostumbrarme a estar cerca de él. Con los hombres soy o muy lenta o muy rápida. Tengo cosas que aprender. No me quiero equivocar más.

—¿Entonces vamos? Tomamos un taxi porque hoy hay paro de subtes.

Cruzamos la avenida más ancha del mundo, que es una corriente de autos intensa e incesante, bordeada de árboles magníficos. Detiene el primer taxi que aparece. Nos instalamos atrás. Fabián empieza a conversar con el chofer. Hay mucho tráfico, debido al paro, pero no estamos apurados, tenemos toda la noche por delante, dice. Me toma de la mano cuando bajamos del taxi y nos encontramos en un barrio que no conozco. No tengo la menor idea del lugar al que vamos, pero me gusta mucho caminar en silencio a su lado. Encontramos enseguida el ritmo; nuestros pasos se acompasan, entran en confianza y resuenan en la noche como si se conocieran desde hace mucho tiempo.

—Vamos a Gricel. Nos quedamos cada uno de su lado, pero bailamos juntos... ¿Querés, Bailarina?

Digo que sí con los ojos.

—¿Todavía sin ganas de hablar? Te voy a tener que hacer dibujitos...

Sonrío. Me empieza a gustar esto de no hablar. Es como un juego y siempre me ha gustado jugar. Entramos en un gran salón todo a lo largo con una hermosa pista de baile de madera. Nos vamos pues cada uno por su lado: una mesa para mí y otra para él, enfrente, del otro lado de la pista. Es una milonga nocturna, donde el ambiente no tiene nada que ver con aquella de la que acabamos de salir. No hay psicoanalistas que se tengan que acostar temprano para que sus clientes puedan recostarse en sus divanes a la mañana siguiente. No está Silvio que tiene un corazón endeble y una esposa que lo espera en casa; tampoco está la horrenda francesa aquélla. Pero veo a los dos Jorges, al alcohólico y al otro, más filosófico, adepto del sabio Epicuro. Y muchos otros hombres y mujeres que se les parecen: solos en la vida, la mayoría sin trabajo y un poco desesperados.

Fabián pidió una cerveza y algo para comer. No lo miro como lo hacía en Maipú: febrilmente, con ganas, con obstinación. Ya sé que voy a bailar con él y que tenemos toda la noche por delante. Así que puedo estar simplemente ahí, sentada a mi mesa, y hacer lo que más me gusta: pedir una cerveza, no sentir ningún apremio, mirar bailar a los otros, soñar despierta, compartir la noche y la fra-

ternidad con este pequeño mundo a mi alrededor. Sentir al tiempo
que se escurre entre nosotros como si goteara suavemente, sin
ruido, y escuchar esta música que es la de ellos, pero también la
mía. Y si hay un tango que me gusta más que cualquier otro, como
este vals de Troilo, por ejemplo, yo sé lo que tengo que hacer. Alzar
los ojos en dirección a Fabián. Lo veo mirarme, y veo que el también ama este vals de Troilo, que nos vamos a levantar los dos, eso
es, ya está, nos reunimos en la pista.

—¿Todo bien, Bailarina? —pregunta muy bajo y toma mi mano
para apoyarla sobre su hombro, como ya lo hizo antes.

Hago que "sí" con mi cabeza contra la suya. Lo siento sonreír.
Espera un largo momento sin moverse antes de encontrar la frase
musical sobre la cual se lanza. Yo cierro los ojos. Me dejo guiar. Lo
sigo. Lo sigo confiando en su cuerpo, pero también en el mío que
responde al suyo como por milagro. Fabián sabe cómo es preciso
hacerlo; primero habituarse el uno al otro, comprender lo que
podemos hacer juntos, aún cuando las cosas van muy rápido entre
nosotros. Coco Días dice lo mismo: que primero hay que familiari-
zarse. También dice que el cuerpo no miente, que bailando uno
puede tocar el misterio del otro. Y sobre todo dice: "Cuando la cosa
anda bien con el cuerpo del otro, no hay necesidad de hablar".

Así que es por eso que no tengo necesidad de hablar, esta noche.
No necesito hablar, porque la cosa nunca ha andado tan bien con el
cuerpo del otro. Así que ya no quiero parar, quiero que la cosa siga
andando bien con este hombre a quien no conozco. Tengo tantas
cosas que decirle que no sé por dónde empezar. Por la franqueza de
su cuello... Por la fuerza de su torso... Por el fuego de sus caderas... Por la ternura muda de sus hombros... Por la adorable extra-
ñeza de sus manos... Por la audacia ritmada de sus pies... Porque
el amor no se aloja en el alma, está allí, está en el movimiento de mi
cuerpo que sigue a su cuerpo, que lo mira, que lo escucha, que le
responde, que no tiene miedo, que osa, que avanza, jubiloso, exultan-
tante... ¿Por qué me ha llevado tanto tiempo comprenderlo?

Más tarde me dice que deberíamos descansar un poco, comer
algo, tomar una cerveza. Así que iremos a su mesa. Comeremos,

beberemos. Él va a prender un cigarrillo, se va a poner a dibujar. Yo lo miraré hacer. Admiraré los gestos rápidos de su mano, como si ella bailara, independiente, sobre el papel. Tomá, es para vos, dirá al cabo de un momento. Dos grandes felinos, dos bestias, una pantera negra y un leopardo, bailan el tango. Él va a decir que se parecen a nosotros. Yo voy a mirar de más cerca: el leopardo tiene un vestidito como el mío, zapatos de taco, una expresión confiada y feliz en la cara (debería decir: en el hocico). La pantera es más grande, más maciza, también más seria, con el sexo erguido debajo del pantalón.

Más tarde aún, tomaremos un taxi. Nos encontraremos lado a lado como al comienzo de la noche, sin hablar, sin tocarnos, lo cual resultará mucho más perturbador. Cuando nos detengamos ante la puerta de mi edificio, en la esquina de Azcuénaga y Juncal, me besará para decirme adiós, buenas noches, que duermas bien. De repente, sin reflexionar, le preguntaré si es alérgico a los gatos, lo cual le hará soltar una carcajada. "Por fin hablás, Bailarina...", va a exclamar. Y añadirá: "¡Qué pregunta, a las cinco de la mañana!". ¿Y, entonces? No, no, él no es alérgico a los gatos. ¿Por qué? Lo tomaré de la mano. Porque en ese caso, podría venir a dormir conmigo.

30

Al día siguiente, es decir algunas horas más tarde, otra vez es el héroe de mi novela el que me despierta.

—Balérie, aquí estoy…

—Sí…

—Estoy en Buenos Aires. Nos podemos ver, si quieres.

—Sí…

—En una hora, en la esquina de Santa Fe y Callao.

—Sí…

—¿Te desperté?

—Sí…

—Son las once… Once y media quizá. ¿No estás sola?

Miro a mi alrededor. Sí, estoy sola. Fabián se ha ido. Me dijo que se tenía que levantar temprano y que lo haría en silencio, sin ruido, para no despertarme.

—Sí… Bueno, no…

—¿No sabes si estás sola o no?

Suspiro largamente. Veo a Robert, que me pone mala cara al pie de la cama. Me pone mala cara desde que estamos en este departamento. No comprende demasiado estos cambios de continente, pobre viejo.

—¿Quieres que te vaya a buscar en taxi?

—No, no, voy a caminar. Necesito tomar aire. Y un café también. Con tres medialunas por lo menos.

—¿En una hora, entonces?

De acuerdo, sí, por supuesto: porque si Coco Días dice una hora, quiere decir una hora y media, incluso dos, sin apresurarme, y llegaré antes que él, como siempre. Entonces, puedo darme tranquilamente una ducha, lavarme el pelo, ponerme mi vestido floreado, mis sandalias chatas, las que se llevan con los pies desnudos, está lindo, el cielo está azul con estelas de nubes algodonosas, y los árboles comienzan a amarillear, es el otoño, mi segundo otoño en pocos meses. No me tengo que olvidar de llevar conmigo mi cuaderno de tapas color arena, sigue guardado en mi valija. Hace mucho tiempo que no lo abro. Voy a ir a hojearlo en el café, por ahí, en la calle por la que suelo caminar, antes de encontrarme con Coco Días en el lugar de nuestra cita.

Cuando llego, no, cuando acudo a la esquina de Santa Fe y Callao, no lo reconozco enseguida.

—¿Qué estabas haciendo? ¡Hace por lo menos media hora que te espero!

No es el mismo hombre que en París. Tiene una distinción que te corta el aliento: un traje sobrio, camisa blanca, el pañuelito al tono asomando en el bolsillo. Los cabellos impecables, un teñido radiante, anteojos de sol. Y –lo cual es increíble– no ha llegado tarde. Vuelvo a pensar en las frases que acabo de leer en mi cuaderno de tapas color arena: Buenos Aires, en mi época, era una ciudad de lujo, de gran clase... Un paraíso para un chico pobre de doce años, un *cabecita negra*, que venía al final de la semana a vender revistas de carreras de caballos. Que andaba por las calles, maravillado... Eso era algo... No era el Buenos Aires de hoy, pobre y sucio. Ni siquiera la pobreza era la misma. Había solidaridad entre la gente, y los ladrones tenían sus códigos...

—¿Media hora? No es nada. Por una vez que no soy yo la que espera, parada en la escalera de la Porte Dorée.

Me sonríe alzándose los anteojos.

—Tienes razón.

—¿Fuiste a la peluquería?

—Sí... Me hice hacer de todo: la barba, el pelo... Hasta las uñas. Me pusieron un barniz transparente.

—¿Un barniz? Déjame ver...

—¡Vamos a tomar un té, primero! Busquemos un lugar lindo, un poco más allá. Ven... ¿Qué pasa?

Nada. Me cuesta creer que camino por la avenida Santa Fe, cambiada con el tiempo, es cierto, convertida en una arteria comercial globalizada con los mismos carteles que en todas las grandes ciudades del planeta. Salvo que es más larga que en otras partes. El aire no es el mismo. Ni el olor. Y el ruido, ni hablar. Y los árboles tampoco. Y el ir y venir por las veredas... Y si uno se aleja un poco, por las calles menos céntricas y los barrios más apartados, vería que el tiempo no es tan presuroso como en las grandes avenidas. Y si uno fuese un poco más lejos todavía, hasta las salidas de la ciudad, vería que la miseria sigue siempre allí, la gran miseria de los marginados.

—¿Paramos acá? –pregunta, señalando un gran café.

No, me gustaría seguir bajando con él por la avenida. No es algo que me ocurra todos los días caminar al lado de un hombre tan elegante, peinado, afeitado y con las manos recién hechas, deliciosamente anticuado. ¿Quién se viste así, hoy en día? ¿Quién usa este tipo de traje, de camisa, de pañuelito en el bolsillo? Tampoco me ocurre todos los días esto de caminar al lado del héroe de mi novela, y por la misma avenida en la que se debe de haber aventurado, de chico, hace cuarenta años, después de haber vendido todos sus diarios y revistas de turf. Y creo además que nunca me va a volver a suceder.

—¿O aquí? ¿No? ¿No te gusta?

¿Qué le pasa que está tan impaciente? ¿No puede esperar un poco y seguir caminando tranquilamente? Vagando, eso es, es la palabra –una palabra que adoro y que quiere decir caminar sin un propósito preciso, por el simple placer de caminar y de observar todo este vasto mundo alrededor de uno.

—Tengo que decirte algo.

Seguramente no nos gustan las mismas palabras a los dos.

—Te tengo que explicar sobre mañana.

Me parece que no lo vamos a lograr, no, no lograremos vagar juntos.

—¿No me escuchas?

Sí, lo escucho. Incluso me detengo, me vuelvo hacia él. Es un hombre obstinado; cuando tiene algo en la cabeza, no puede pensar en otra cosa.

—Como no has querido venir a mi provincia, no pudiste conocer a mi familia. Mi padre, mi hermana, mi medio-hermano...

Sí, ya lo sé...

—Pero podrías verlos mañana, si quieres. Vamos a organizar un desayuno en un restaurante por el bautismo de Gaëtan, en San Isidro. No es demasiado lejos. Vamos a estar todos. Inclusive Ocho Cuarenta.

—¿Ocho?

Apoyo una mano en su brazo como si tuviera necesidad de confirmar lo que acaba de decir.

—Sí. Te reservé un lugar en la mesa al lado de él. Así vas a poder conocerlo, por fin.

31

Tengo una gran flor roja de género. Una especie de broche o de brazalete o hasta collar, se la puede llevar como uno quiera, siempre cuenta alguna cosa, había dicho el costurero japonés a quien se la compré.

—¿Adónde vamos así, con esa flor roja entre las tetas? —pregunta Rok, mi taxista esloveno que me espera abajo de casa.

Me siento atrás, como siempre que tengo ganas de hablar. Es más práctico para él, me puede echar una mirada cuando quiere, y además eso hace pensar justamente en otra práctica, ¿no? Y entonces, ¿qué pasa? Nos hemos puesto linda hoy, ¿eh? ¿Adónde vamos? ¿Para quién es esa flor roja entre mis tetas? ¿Cómo nos ha ido desde la última vez?

Son demasiadas preguntas. Vamos a un restaurante camino a San Isidro. Vamos a un desayuno de familia. La familia de Coco Días, el héroe de mi novela, que festeja el bautismo del pequeño Gaëtan, el único a quien conozco aparte de su padre. Van a estar todos reunidos alrededor de la misma mesa. La Francesita, la joven mamá de Gaëtan. Carmen Antonio Días, también llamado Chiquito, el padre, el que abandonó a su hijo, y éste un día, mucho más tarde, se tomó el tren para ir a ver quién era ese padre que él no conocía. Isabel, su hermana, abandonada por ese padre y más tarde por su madre. Su medio-hermano Gustavo, nacido por cesárea, lo cual le costó la vida a su madre, Flora. Marta, la mujer que se ocupó de él y que poco a poco fue adoptando el papel y el lugar de Flora en esta familia.

Y luego habrá otro que no forma realmente parte de la familia, pero que ha jugado un papel importante en la vida de Coco. Representó a la figura paterna. Y —más importante aún— le enseñó a bailar el tango. Coco lo cita siempre en sus entrevistas. No se formó con un maestro como la mayor parte de los bailarines de tango, sino con un simple bailarín callejero, un amigo del barrio, un vecino. No dice nada más de él. No va a contar en los diarios que su amigo acabó mal, que se convirtió en un traficante de droga, en un verdadero cabecilla. Soy yo quien lo va a hacer. Me intrigó de inmediato por su costado jefe, tierno y brutal, amado y temido, modesto y jugado. Lo llaman 840, un nombre en código para no causarle problemas, nunca se sabe. Voy a estar sentada a su lado. Por fin voy a poder verlo de verdad. ¿Es para él que me he puesto la flor roja entre las tetas?, pregunta mi chofer de taxi a la par que psicoanalista, echándome una larga ojeada por el retrovisor. Le sonrío. Decididamente, sabe leer entre líneas. ¿Cuánto le debo?

Cuando salgo del taxi, ya están todos ahí, en un enorme restaurante junto a la avenida, una suerte de autoservicio que se parece a un gimnasio. Hay una gran mesa reservada cerca de los ventanales. Coco, vestido de blanco de la cabeza a los pies, y Francesita, de azul cielo, están disponiendo los nombres alrededor de la mesa. Tengo la impresión de que lo hacen para mí: así voy a saber al primer golpe de vista quién es quién. Pero no necesito leer los nombres, por lo menos no para algunos de ellos. Veo enseguida quién es Chiquito, el padre, sentado al lado de su hijo. Es menudo, sin duda, pero se mantiene muy erguido; se diría que sigue cuidando su reputación de seductor, aún si sus ojos no son tan intensos y brillantes como antaño. Pero el cabello teñido está cuidadosamente peinado hacia atrás, y el bigote, también teñido, es fino como una línea por encima del labio. Veo a Isabel, la hermana, de rubio platinado, y a la discreta Marta que exhala bondad. El hombre que está al lado mío se llama Raúl Funes: es un cantante de tango, un viejo amigo de Coco que ha vivido en París, y que cantó en Trottoirs de Buenos Aires. La silla a mi izquierda, la de Ocho, todavía está vacía.

—Va a venir, no te preocupes —me dice Coco desde lejos—. Me lo prometió.

Así que mientras espero me pongo a conversar con Raúl. Vamos a buscar nuestros platos a la otra punta del salón. Tiene una cabeza de viejo león que se tiñe las crines de rubio veneciano. Tiene mucha más edad que Coco. Vivía en el mismo barrio, pero del lado bueno, no en la villa miseria. Su madre, Irma, una partera, pero sobre todo una mujer de buen corazón, le preparaba a menudo la merienda, a la tarde: una bebida caliente, con unas tostadas o alguna otra cosa. Coco, no hay que olvidarse de eso, dice, de chico siempre andaba con hambre. Era... Era flaco como un alfiler. Soy yo la que termina la frase en su lugar. Todo el mundo dice lo mismo, Griselda Sarmiento, el Indio, y ahora él: por mucho tiempo Coco fue flaco como un alfiler. Se perdieron de vista, y más tarde se volvieron a encontrar, en los años ochenta, en París. Raúl se instaló allá por varios años con su mujer uruguaya, bailarina de tango, durante algún tiempo pareja de baile de Coco. Raúl Funes cantaba en Trottoirs de Buenos Aires, con el Sexteto Tango. También cantó con otras orquestas y viajó mucho. Ahora por fin vive la vida que le gusta: tiene una casita aquí, en San Isidro, un auto viejo que anda bien y —su tesoro— un pequeño barco. Va a cantar una vez por semana en *Pigmalión*, en Buenos Aires. Cuando no, ocupa sus días en lo que más le gusta: navegar por el Río de la Plata. ¿Quiero ir con él? ¿Quiero pasar un día sobre el agua, lejos de todo el mundo? ¿Sólo el río, el cielo y Buenos Aires a lo lejos?

El sitio a mi izquierda sigue vacío. Coco nos hace señas de que nos acerquemos a su lado de la mesa.

—Debe de haber habido algún problema —me dice en voz baja cuando paso por detrás de él.

Me presenta a su padre.

—Ella es Balérie Nolò, papá, una francesa que está escribiendo mi biografía... —dice.

Me siento al lado de Chiquito. No sé realmente qué decir. No voy a rectificar que no se trata de una biografía sino de una novela, que no es para nada lo mismo. Tampoco le voy a preguntar si está orgulloso de su hijo, eso salta a la vista: está encantado con ser el padre de Coco Días. No le puedo hacer preguntas sobre Ocho, él no lo conoce. Por suerte Raúl se pone a cantar un tango. Coco y Francesita se levantan y comienzan a bailar. No tienen mucho espacio, así que Coco inventa una coreografía minimalista. Es la pri-

mera vez que los veo bailar juntos. Forman una hermosa pareja de
bailarines, de eso no hay nada que decir. Comprendo cuando Coco
dice que Francesita, como la llaman acá, para él es como un Rolls
Royce. Pequeña, menuda, linda (tiene un cuello largo como una
flor), ágil, llena de gracia, y además sonriente y radiante. Decididamente, es un gran día para ellos. Llevan puesto su mejor vestuario.
Van a hacer bautizar a su hijo que duerme en el cochecito, un poco
más allá. Bailan delante de la familia argentina. Y bailan bien. Bailan con toda la confianza y la distensión de los que se conocen pro-
fundamente, que comparten el escenario y la vida de todos los días.
Todo el mundo los mira, están todos ahí, menos el que yo espero.
Espero que no le haya sucedido nada.

—Llevas una bonita flor en el pecho —me dice Coco como si me
adivinara el pensamiento.

—¿Vas a venir conmigo al río? —pregunta Raúl.

32

Necesito ver un poco más claro, comprender adónde voy, salir de la bruma. Sin embargo está lindo, es un día espléndido, con un cielo azul e impertérrito como dentro de una bola de cristal (no, no es verdad, el cielo nunca es impertérrito). Una brisa leve acaricia mis mejillas y riza la superficie del río argentado que se parece al mar. La ciudad de Buenos Aires centellea a lo lejos, como un cúmulo de coral blanco. Los veleros juegan con el viento como si estuviésemos en el mar y no en el Río de la Plata. El motor del *Pampa*, el viejo barco de Raúl, ronronea en el silencio del río.

Miro el cielo delante de mí. Uno siempre se encuentra en la bruma cuando trata de imaginar lo que será de su vida, ¿no te parece? O de la novela que está escribiendo, es lo mismo, la misma bruma que se va disipando a medida que uno avanza. Uno se hace las mismas preguntas que en la vida. Quiere comprender algo en ella. Quiere captar la verdad de sus personajes. Tengo ganas de saber quién es realmente Coco Días, de quitar los malos versos y las mayúsculas con las que intenta disfrazar su vida para convertirla en una leyenda (por no hablar de las inexactitudes, los disimulos y las invenciones que son el corazón de la evocación de sí mismo). Y no lo quiero hacer a la manera de una biografía –fechas, cronología, hechos–, sería bueno que lo entienda tarde o temprano. Y no habrá fotos adentro, punto.

Sin embargo estoy muy metida en llevar a cabo el encargo. Escribo sobre él, hago un retrato de grupo con Coco Días en el lugar del rey y de la reina. Así que he dispuesto mis personajes a su alrededor, he organizado el relato, realizo la puesta en escena; todo el mundo ha venido a posar en mi atelier de la Porte Dorée. Hay algunos que no forman parte de la familia, al menos no de la familia de Coco Días. Están ahí, al fondo del cuadro, a la izquierda o a la derecha, o incluso en primer plano, eso depende. Hay incluso un animal, en primer plano justamente, en lugar del fornido perro Yago del que habla Agathe. Se ha adormecido en el suelo, pero observa con ojo malicioso lo que ocurre a su alrededor. Si quieres mi opinión, ha tomado demasiada importancia, este animal. Tú te das cuenta de quién hablo, ¿verdad?

—¿En qué estás pensando? —grita Raúl, con los largos cabellos blancos al viento.

Está sentado en la popa del barco, con el gobernalle en la mano y contento de compartir con alguien el río. No tiene ganas de hablar, solamente quiere saber si está todo bien.

—En Velázquez…

—Velázquez… —repite, pensativo, volviéndose a sumergir en su propia introspección.

Le habría podido decir González, Morales, Gutiérrez o cualquier otra cosa, habría producido el mismo efecto. Si he dicho Velázquez, es porque en mi cuadro estoy procediendo como él: he alzado mi cabeza, miro larga y fijamente hacia adelante. El viento me sigue desordenando los cabellos y Raúl comienza a canturrear.

¿Pero que es lo que intento ver desde que hemos zarpado por el Río de la Plata? ¿Qué es lo que miro de esta manera ante mí? ¿Por qué voy escrutando el cielo azul como si él pudiera revelarme lo que no sé?

33

Cuando vuelvo a mi barrio —está por caer la noche en Buenos Aires— veo, a lo lejos, a alguien apoyado contra el árbol que está delante de mi edificio. Me detengo, lo miro bien: se diría que es Fabián, su misma silueta, los mismos cabellos negros. ¿Pero qué es lo que hace ahí? Pensé que no lo vería más. No me dejó su número de teléfono, yo no le he dado el mío. Ni siquiera le dije adiós cuando se fue, a la mañana; yo dormía. Aparte de su manera de bailar el tango, de su nombre, de su olor, de su voluptuosidad —es un sensual, un amante de la piel— no sé nada de él, lo cual constituye —de acuerdo con mis modestas experiencias, debidas más que nada a mi amante libanés— una excelente condición para hacer bien el amor. Una buena dosis de extranjería, una situación ligeramente ambigua, un poco de sentido lúdico, y ya está. En fin, así es como fue con Fabián, que me espera apoyado contra un árbol.

Pero no es él; es un joven moreno, con el Che Guevara estampado en su remera, que conversa con una mujer en la puerta del edificio. Mejor será que deje de soñar y que haga como Agathe: que me compre anteojos para ver de lejos. ¿Por qué me esperaría Fabián contra ese árbol mientras yo navego por el Río de la Plata, en compañía de un viejo cantor de tango, que se llama Raúl Funes? Bailó conmigo, tomamos un taxi juntos, lo invité a que subiera conmigo, pero hay que añadir que habría podido ser para un café con medialunas, puesto que ya era casi de mañana. ¿Y entonces? Entonces nada, justamente. Me equivoqué. No era él, no podía ser él. Los amoríos con bailarines de tango duran tres minutos, lo que dura un tango, no más.

Robert se alegra cuando me ve llegar. Lo tomo en mis brazos, me siento en el sillón frente a la tele, enciendo el aparato, escucho

lo que sucede del otro lado del planeta. Empezamos a tener nuestras costumbres en este departamentito en un quinto piso que da a
la calle y a las grandes acacias y que no se parece en nada a mi
Locura parisina; hay de todo lo que hace falta, mesa, silla, sofá,
sillón, televisión, horno a microondas... Robert me olfatea largamente: debo de oler a río, a viento, a sol, a cansancio y a sudor. Este
cansancio y este sudor que dicen que la vida y el cuerpo están ahí
para ser usados, y no lo contrario, para ser protegidos y preserva-
dos. Yo no sé si es la vida que quiero vivir –me acuerdo de que Yann
me había hecho esa pregunta, en resumidas cuentas bastante estúpida porque es siempre después, pasado el tiempo, que uno comprende lo que ha vivido– pero estoy contenta de estar aquí. Y me
voy a dar una ducha, vestirme y salir a bailar: voy a seguir usando
mi vida y mi cuerpo.

Más tarde, en la milonga del Viejo Correo, vuelvo a pensar
en Fabián; me doy cuenta muy bien de que mi mirada por
momentos se escapa hacia las cortinas rojas de la entrada, como
si quisiera constatar que él hubiera acabado de entrar. No, no, el
no está por llegar, él no está sentado en una mesa del fondo, no
se ha pedido una cerveza, no me está observando. Sin embargo
esta milonga me gusta. Lejos del centro, muy cerca de un gran
parque, hay que tomar la línea 92 –uno de mis colectivos preferi-
dos– y recorrer un buen trecho para llegar hasta ahí. El suelo no
es de madera, sino un ajedrezado de baldosas blancas y negras, lo
cual no es de lo más agradable para bailar. Pero el lugar es muy
cálido, los baños son un verdadero salón de belleza y no hay
demasiados turistas; en todo caso, *por suerte*, como dicen aquí, la
horrenda francesa no está. En contrapartida, casi no hay más que
viejos. Veo la cara de Natacha, o incluso las de Gaby y Giovanna, si yo les dijera: "Estuve bailando con viejos. Bajos, altos,
gordos, calvos y de cabello teñido, perfumados con agua de colo-
nia barata. Y me encantó...". Porque el tango es un baile que
madura con el tiempo. Son los viejos, los Silvio, los Jorge, los
Bernardino quienes lo bailan mejor. Coco Días todavía es demasiado joven para eso. Y además es un maestro, él quiere mos-

trarse, quiere los reflectores y los aplausos, aún si el declara que
no es verdad. Los Silvio, los Jorge, los Bernardino jamás han buscado los reflectores ni los aplausos. Ellos bailan todas las noches
en esas milongas alejadas del centro. Repiten los mismos pasos
desde siempre. La diferencia es que ahora saben que sus vidas –la
única vida que tenemos– está llegando a su fin. Entonces vuelven
a pensar en todo lo que han deseado y no tuvieron, en todo lo
que han querido hacer y no hicieron, en las decepciones y en las
traiciones, en los amores frustrados, en las alegrías que huyeron,
forzosamente, porque los amores y las alegrías siempre huyen, y
ponen todo eso en su modo de bailar. Y a mí me dan ganas de
decirles gracias después de cada tango, al mismo tiempo que
echo una mirada hacia la puerta para ver si no ha llegado Fabián.

Hacia la medianoche, hago como me sugiere Silvio: me voy a
otra milonga, a Niño Bien, un gran salón en la otra punta de Buenos Aires que tiene un muy buen parqué. Es importante el suelo,
vos creeme corazón, muy importante, me dice al salir. Comparto el
taxi con un irlandés, el único auténtico turista que ha venido esta
noche al Viejo Correo. Se llama Jim, tiene treinta y cinco años, el
cabello rojo y pecas por todas partes. Y adora el tango. Hace seis
meses que está en Buenos Aires, baila todos los días, toma clases a
la tarde y va a las milongas a la noche. Se va a quedar uno o dos
meses más; en todo caso, no quiere volverse a casa antes de saber
bailar perfectamente. Yo no le digo que le harán falta más que algunos meses, lo va a comprender él solo, en un momento dado, prefiero que hablemos de otra cosa. O incluso que no hablemos, eso
es, me he vuelto bastante taciturna desde que estoy en Buenos
Aires. Podemos simplemente mirar la ciudad que desfila ante nosotros. Pero él insiste, quiere saberlo todo, los cursos, las clases particulares, los profesores… Estamos en la fuente misma del tango,
tenemos la inusitada suerte de poder estar aquí y de bailar con
argentinos de verdad, ¿acaso no estoy de acuerdo con él, no me he
enamorado yo también de esta ciudad?

Cuando llegamos juntos a la otra milonga, nos ubican en la
misma mesa en el fondo de la sala como si estuviéramos en pareja.

Jim está contento, le gusta venir acompañado, me dice. ¿Y yo?, pregunta. ¿Yo? No le respondo. Habría preferido sentarme sola, es obvio, nadie invita a las mujeres acompañadas. Pero ya he bailado mucho y me gusta mirar a mi alrededor; y además es la primera vez que vengo aquí. No conocía este gran salón que hace pensar en un viejo restaurante, con barra, manteles blancos, ventiladores de techo; y un muy hermoso parqué, es verdad. Pedimos dos copas de champagne. Jim está contento de haber tomado el taxi conmigo y de compartir la misma mesa. Ya tiene más que suficiente de chapurrear su mal español, por fin se puede expresar normalmente en su lengua materna, por otra parte es parte es para eso que habla tanto, espera que yo me lo haya figurado, ¿verdad? Sí, claro que lo figuraba, también soy traductora e intérprete, acostumbrada a hacer malabares con los idiomas. Me encuentra encantadora, además, es lo que dice, encantadora. ¿Quiero ir a bailar esta serie de milongas con él? No, no, gracias, bailaré más tarde, tengo ganas de beber tranquilamente esta copa y de observar a la gente alrededor de nosotros; me encanta mirar a la gente bailar.

Cuando me quedo sola en la mesa, justamente cuando pretendo beber mi copa de champagne (en fin, una especie de espumante dulzón), siento una mano que se posa en mi hombro y una cara que se aproxima a la mía.

—Bailarina…

Me mira, me sonríe.

—Fabián… ¿Qué haces tú aquí?

Sigue sonriéndome, evidentemente no va a responder a una pregunta tan estúpida.

—¿No estás sola? –pregunta.

—No… En fin, sí…

—Yo también…

—¿Qué?

—Yo tampoco estoy solo. Pero de todos modos podemos bailar algunos tangos los dos… ¿Qué te parece?

—Mhmm…

—¿Más tarde?

—Más tarde.

Vuelve a apoyar su mano en mi hombro, después se levanta y se aleja del mismo modo en que llegó, sin ruido. No me doy vuelta hacia él. Bebo el mal champagne que finalmente no es tan malo, de hecho querría más, y alguna cosa de comer también, porque empiezo a tener hambre, en todo caso estoy temblando toda. O es acaso a causa de Fabián, a quien creí que no iría a ver aquí. Toda la noche lo esperé sin esperarlo o ya no lo esperaba más, apareció detrás de mí como… como no sé qué. Ahora tengo que calmarme, tengo que comer algo porque la noche va a ser larga todavía. Puedo incluso ir a bailar con Jim el Pelirrojo, así al menos nos callaremos por diez minutos.

Fabián está sentado en la otra punta del salón, con una rubia muy elegante que lleva la espalda desnuda y muchas alhajas. Él también está un poco más elegante que de costumbre, en fin, tiene el mismo pantalón con una camisa blanca, que le queda bien. Conversa, mira, toma un trago de alcohol. Yo veo que él me está viendo, cuando con Jim paso a poca distancia de la mesa de ellos, porque por una vez no cierro los ojos. Y también veo que más tarde, cuando a su vez ellos se levantan y se reúnen en la pista, él me mira de lejos igual que yo lo miro. E incluso cuando cierro los ojos, lo sigo viendo.

—¿Todo bien? –pregunta Jim el Pelirrojo entre dos tangos.

Está contento, eso se nota. Es un hombre bastante guapo, alto, bien formado, con los rasgos regulares de un chico de buena familia católica. Tiene calor y debajo de sus ojos el sudor pone unas perlas como lágrimas diminutas. Si no tuviera ganas de estar en el lugar de la rubia entre los brazos de Fabián, lo miraría con más interés, sin duda, aún cuando todavía le faltan años para bailar bien. Aunque en realidad no sea solamente una cuestión de tiempo. Yo pienso que se nace con eso, se lo lleva bajo la piel como Coco Días. O Fabián, sí, él también lleva eso bajo la piel, es algo que se ve enseguida; ama bailar, se narra a sí mismo bailando.

—¿Todo bien, Valery? ¿Estás bien? –repite Jim.

Yo hago "sí" con la cabeza, alzo la mano y seco las pequeñas lágrimas de sudor debajo de sus ojos. Tal vez sea el champagne malo, o la jornada en el río o la mirada de Fabián o incluso él, Jim el Pelirrojo con las minúsculas perlas transparentes bajo sus ojos, pero es así: todo bien, estoy bien, gracias, estoy muy bien.

Más tarde, cuando por fin me encuentro delante de Fabián, en la pista, y él me hace la misma pregunta, yo no le respondo enseguida.

—¿Y, Bailarina? ¿Qué pasa? –pregunta.

—Más temprano, al volver a casa, había un hombre que esperaba delante del edificio, apoyado contra el árbol. Pensé que eras tú.

—¿Yo?

Está asombrado, es natural. No sé por qué he venido a contarle esto; siempre reflexiono cuando es demasiado tarde.

—Mhmm...

Él me toma la mano y la conserva unos instantes dentro de la suya antes de apoyarla sobre su hombro. Yo siento que el tiempo está por adquirir otra dimensión, la nuestra, y que nos vamos a olvidar de todo el resto. Pienso de repente en Coco Días y en lo que me dijo, un día al caer la noche, en la Porte Dorée. Me dijo que tomara toda la dulzura que tenía en mí para ponerla en el tango que iba a bailar con él.

34

Al día siguiente me viene a buscar en un taxi.

—Balérie, soy yo. Te espero abajo. Vamos a mi barrio… Vístete de la manera menos llamativa posible, porque esto puede ser peligroso, ya sabes… Y apúrate… –dice, sin más preámbulo.

Yo ni siquiera respondo, ya lo empiezo a conocer. En París hacía lo mismo: me daba citas en el último momento, o bien me llamaba para decirme que estaba en la Porte Dorée o en algún otro sitio, y que tenía que apurarme, que era importante. Así que trago un café, le doy de comer a Robert, me pongo mi vieja pollera malva, una remera y unas zapatillas –es lo menos llamativo que tengo–, manoteo mi cuaderno de tapas color arena y bajo los cinco pisos desandando los escalones de dos en dos porque el ascensor no funciona. Hay efectivamente un taxi estacionado delante de mi edificio, en el que espera el héroe de mi novela, de punta en blanco como de costumbre.

—¿No me has dicho que había que vestirse de la manera más normal, es decir, no llamativa? ¿Que era peligroso?

Me mira como si no viese de qué le estaba hablando; tal vez yo debería comprender de una vez por todas que su traje a rayas, su camisa blanca y el pañuelito al tono, más los anteojos de sol y el cabello impecable, es su manera más normal y más discreta de vestirse en Buenos Aires.

—Es peligroso para ti. No para mí, que soy de allá. Cierra la puerta, por favor.

Cierro la puerta; el chofer, que no comprende lo que decimos, por fin arranca. Así que es peligroso para mí y no para él porque él es de allá. Trato de acordarme de lo que he escrito en mi cuaderno sobre "allá", sobre la Correa, como llaman a su asentamiento precario. Ya la palabra espantaba; si Coco decía que vivía en la Correa, a la gente le agarraba miedo. Qué miedo tenían de venir a bailar al barrio: nunca se estaba seguro de salir vivo. Bastaba con un gesto fuera de lugar, de un guiño de ojo demasiado significativo a alguna chica para salir de allí con un cuchillo entre las costillas. Otra cosa: los perros callejeros, jaurías de perros. Coco, al irse a la mañana a trabajar, se llevaba consigo un palo y llenaba sus bolsillos de piedritas para defenderse de ellos. Y otra cosa más, que no tiene nada que ver con todo esto: un gran sentido de la solidaridad y del calor humano. Él se acuerda de un crío que un día desembarca en el barrio, solo, sin familia, abandonado. Le encuentran un coche viejo para dormir, le dan de comer, lo protegen, poco a poco lo adoptan, encontrándole un nombre –Tortuga– porque se desplaza como una tortuga. Por lo demás, Tortuga se quedará en el barrio, se casará... Todavía vive ahí.

Miro los suburbios de Buenos Aires, que, con un desfasaje de diez años, se parece a todos los suburbios de las grandes ciudades. Es un día soleado de comienzos de otoño, con un aire pesado y amenazante, y por fin voy a ver el barrio del que Coco Días me habla desde que lo conozco, va a hacer pronto ocho meses. Y de repente no sé si debo tener miedo o no.

El taxi abandona la autopista para atravesar una urbanización de casas cada vez más modestas y sencillas. Echándole una mirada a Coco, comprendo que estamos por llegar.

—Es aquí... –dice por fin.

Lo sigo a una de esas casas bajas y exiguas donde nos espera Esther, una mujer de piel curtida y de rostro muy característico que empieza a preparar la mesa –no, no, platos no, por favor, yo no tengo hambre– mientras cuenta las novedades de la familia. Enseguida comprendo que Coco tampoco tiene hambre. Había encargado esa comida para dar aviso de nuestra venida, para hacer que la noticia se desparramara y no tomar a nadie por sorpresa: Coco, Coquito, va a pasar esta tarde por su viejo barrio, en compañía de una francesa; van a dar una vuelta, él le va a mostrar el barrio, van a ver a Ocho Cuarenta y después se van tranquilamente, sin molestar a nadie, eso será todo.

Cuando él comienza a comer y Esther enciende la tele, como si esas dos cosas fueran siempre juntas, en tipo alto y fornido entra y se sienta a la mesa con nosotros. Tiene una remera amarilla muy ajustada y una cadena de oro alrededor del cuello. No entiendo todo lo que dice. Es un vecino. Acaba de salir de prisión. Trabaja para Ocho que no está en casa. No, no, ahí no está, repite. No se sabe dónde está. Hace unos días, la policía hizo una razzia en el barrio. Vinieron con gran pompa, ulular de sirenas, coches por todos lados. Todo eso para arrestar a Ocho que había sido advertido a tiempo. Le dieron vuelta la casa, y después se fueron.

—¿No lo vamos a ver?

—No… –dice el alto y fornido.

—¿Es verdad?

Coco me lanza una mirada de soslayo para decirme que me quede tranquila. Sin embargo el fortachón es afable y bien dispuesto. Nos quiere invitar a su casa, dice. Y después acompañarnos, atendernos, cuidar que ande bien, cosa que no dice, pero que se adivina en su sonrisa. Coco come sin demasiada convicción una pasta con estofado de pollo, haciendo preguntas que yo no entiendo. Habla mucho mejor el argot, la lengua de la calle, que el español, me explicó Raúl durante el desayuno familiar. Puede hablar durante horas sin que vos le entiendas nada, dijo.

Es al salir de ese restaurante improvisado en la casa de Esther, avanzando por la calle, cuando empiezo a comprender adónde estamos. Hay gente en la calle, dispuesta en largos racimos. Están ahí, apoyados contra los autos viejos, o sentados en el suelo, sin nada que hacer, desocupados, drogados. Jóvenes en su gran mayoría, con la mirada hueca, pasmada, alucinada. Averiados, rotos, terminados… "Es la mala droga, la más barata…", murmura nuestro fortachón, él mismo *dealer* y consumidor de cocaína. Intercambia con ellos algunas frases que no entiendo. Pasa alguien en bicicleta, de más edad pero con la misma mirada vidriosa. "Coquito, soy yo…", dice. Coco le estrecha la mano, pero no parece reconocerlo. "Ven, me dice, no nos quedemos aquí".

Algunos perros callejeros se ponen a seguirnos, contentos de encontrar una ocupación. Caminamos en silencio por la calle y al costado de restos de automóviles que parecen estar ahí desde hace décadas. No hay casi nadie afuera, nuestros pasos resuenan sobre el asfalto hundido. Siempre seguidos por los perros, tomamos otra calle, que se parece a la anterior, los mismos restos, las mismas casas hechas con materiales de construcción baratos en lugar de ranchos. "No hay trabajo, estamos por nuestra cuenta...", dice el fortachón, como si quisiera interrumpir el silencio y perturbar el eco de nuestros pasos. Coco no dice nada; con su atuendo chic, también él parece provenir de otra historia. Se detiene delante de una de esas casas bajas, construidas a las apuradas.

—Era aquí, nuestro primer rancho. Aquí nos vinimos con mi madre. Salvo que en esa época no había nada... Ni electricidad, ni agua... Terrenos baldíos, barro, ranchos por todos lados... Más tarde nos organizamos en cooperativa para comprar la tierra, para construir una casa de materiales. Para poder vivir de manera casi normal.

Me acuerdo de la foto que me mostró en la Porte Dorée, la única foto de su madre que él posee, una foto de grupo, en blanco y negro: una fila de adultos jóvenes de pie, cinco o seis personas, vecinos, con un crío a sus pies, jugando en el suelo, en un terreno vacío hasta donde alcanza la vista. Flora es menuda, vigorosa, sonríe para la foto; acaba de desembarcar en el barrio, necesita ser valiente, tiene que poder apañárselas, por ella y por ese crío jugando a sus pies, no tiene otra elección. Y el sábado, con sus vecinos, ella va a ir a bailar el tango, para distraerse, para pensar en otra cosa que no sea esta vida difícil. Y ese hijo que juega a sus pies, demasiado apegado a su madre como sucede a menudo en esta clase de familias sin padre, va a hacer lo mismo: va a ir a bailar, para no caer en la delincuencia, para tener algo suyo que no le puedan sacar. Y más tarde cuando su madre ya no esté, él se va a marchar, igual que esos héroes del tango: se van porque ya no tienen ninguna razón para quedarse, y más tarde han de volver, con las nieves del tiempo plateando su sien, sin-

tiendo que es un soplo la vida, que veinte años no es nada, como
canta, por siempre, Carlos Gardel.

—¿Conocés al Gauchito Gil? —pregunta nuestro fortachón en
remera amarilla, para que pensemos en otra cosa y salgamos de
aquí.

—¿Quién?

—¡Vení! Te voy a mostrar algo.

Siempre seguidos por los mismos perros, bordeamos un terreno
que podría ser un campito de fútbol abandonado, y nos detenemos
al lado de un banco y de algunos coches viejos fuera de uso, para no
volver a decir "restos" una vez más.

—Es él… Es nuestro santo. Nos protege, vela por nosotros.
Bueno, hace lo que puede…

Me acerco a una caja de vidrio, apoyada sobre un gran zócalo de
hormigón. Tardo en comprender que se trata de un santuario a la
gloria del Gauchito Gil, un santo venerado por la gente pobre, por
los desclasados y los rebeldes de toda laya, por todos aquellos a los
que la sociedad ha empujado a los parajes que están fuera del
mundo, como éste. Si no estuviera plantado aquí, en este lugar de
desolación y desesperación, yo habría podido tomarlo por una de
esas instalaciones, como las que hace Claude Abacò en mi ex-*Obra
maestra*. Porque no es algo tan diferente: una acumulación de obje-
tos humildes y sin valor, dispuestos con un orden sutil y misterioso
alrededor de la figura del Gauchito Gil: cigarrillos, piedritas, flores
secas, terrones de azúcar, retazos de género, trozos de papel…

—¿Querés pedirle algo y quedarte un momento sola con él?
—pregunta nuestro ángel guardián en remera amarilla.

Así es, quiero quedarme un poco más delante de esta increíble
obra de arte que sobre todo no se reivindica como tal. Tienes que
entenderlo: no es nada, es un cubo de hormigón, una caja de
vidrio, y cigarrillos dispuestos como rayos blancos alrededor de la
figura del santito, hecho en madera y en tela roja y azul. Y sin
embargo funciona, quiero decir que esta rústica, que esta modesta
y misteriosa belleza viene hacia mí, me emociona, lava mi mirada y
abre mi corazón. Veo que Coco y el fortachón se empiezan a impa-

cientar, pero yo no consigo despegar la vista de allí y no tengo ganas de irme. Y estoy segura, pongo las manos en el fuego: es esto lo que Agathe llamaría una obra de arte.

35

Seguimos caminando, dejando su barrio y a nuestro fortachón en remera amarilla muy lejos detrás de nosotros. Ahora estamos en un suburbio normal, con comercios, bares, gente que atiende sus ocupaciones... Hace calor y está cada vez más pesado; Coco se ha quitado el saco y camina desde hace un rato sin decir palabra. Parece cansado. Yo también voy callada, ni siquiera pregunto adónde vamos. "Debe ser aquí..., dice por fin, llamando a una puerta. O tal vez no... Ya no sé..." Sí, ahí es donde vive Catamarca, ex-mujer de ocho, una muchacha de su barrio, una verdadera belleza según Coco, convertida a los cincuenta años en una mujer fea y abotargada. Nos mira como si cayéramos del cielo, dormía, la hemos despertado. Coco comprende enseguida que no es en esta dirección donde vamos a encontrar a Ocho; pero ahora que estamos ahí, será preciso entrar. Catamarca parece contenta de volver a ver a Coquito, ya ni siquiera se acuerda de cuándo lo ha visto por última vez. No ha cambiado mucho, dice. Va a preparar un mate. No, no, Coco no toma mate, quiere un té, un té común. Mientras ella va a poner el agua a calentar, él me cuenta que Ocho y Catamarca formaron una bella pareja cuando eran jóvenes. Una pareja que no duró mucho, aunque siempre siguieron cerca el uno del otro y se ven regularmente. Catamarca hace lo mismo que nuestro fortachón de amarillo: vende cocaína al menudeo y la consume. Por lo demás es preciso que yo sepa que hay mucha droga en el tango, sobre todo entre los bailarines. Siempre la ha habido. Todos los grandes bailarines de tango hacían un uso inmoderado de la cocaína y el alcohol. Y sigue siendo así. En todas las milongas nocturnas de Buenos Aires, se puede conseguir cocaína. Tenés que abrir los ojos, Balérie...

Catamarca vuelve con tres tazas y una foto en blanco y negro; ella y Ocho (ella no lo llama Ocho, desde luego) cuando tenían veinte años y apenas habían empezado a salir juntos, dice. Coco la conoce, estaba con ellos cuando fue tomada. Yo la miro largamente: así veo a Ocho al menos en foto, si no puedo verlo de veras. Es más delgado de lo que yo creía: un joven esbelto en camisa blanca, con un mechón de cabello rubio sobre los ojos. Catamarca tiene piernas largas y el cabello negro hasta la cintura. Es verdad que son hermosos los dos: son hermosos e inocentes. Coco bebe su té. Esta vez, no tiene nada para mojar en él. Parece agotado, le gustaría irse, estar en otra parte. Pero Catamarca querría bailar un tango con él. Él puede hacer eso por ella, ¿verdad?, dice la mujer. Claro que puede hacerlo, responde él sin entusiasmo.

Más tarde, después del tango y de otro té y cuando ya Coco realmente no da más, Catamarca nos consigue un coche que nos va a servir de taxi, para llevarnos a Buenos Aires. Cuando pasamos delante de la estación, Coco le pide al chofer que se detenga un momento: es ahí, delante de la estación José León Suárez, donde él lustraba zapatos cuando era chico. Y es allí, en esa avenida, cuando su amigo Manosanta lo tendió en el suelo, sobre la calzada, cuando sus venas se vaciaban de sangre y sus horas estaban contadas. Miro la avenida colmada de vehículos a esta hora del día en que la gente regresa a sus casas, a los suburbios. No sé qué decir. Hace calor. Y además empiezo a tener hambre.

—Balérie... —me dice al cabo de un momento.

—¿Sí?

—¿Puedo apoyar la cabeza en tu hombro?

Sin esperar mi respuesta se me aproxima un poco más y apoya su cabeza en mi hombro. Yo no me muevo. Se queda dormido casi al instante; las emociones cansan, y la visita al barrio de su infancia tiene que haber acarreado una bastante intensa, no hay duda. El chofer me hace un guiño de ojo divertido en el retrovisor. "¿Quiere que pasemos por Palermo y por avenida Libertador?", me pregunta. Sí, eso es, pasemos por Palermo, por las calles azarosas de aquel Palermo perdido del baldío y de la daga, como dice Borges, es una buena idea.

Sigo mirando por la ventanilla del auto mientras Coco duerme contra mi hombro. Nos acercamos a esa hora mágica en que la luz comienza a declinar y los edificios, los árboles, los parques se convierten en meras siluetas. Salvo porque, esta tarde, el aire está pesado y el cielo vacila entre el azul oscuro y el gris umbroso. Nunca pensé que un día, en Buenos Aires, el héroe de mi novela se dormiría en mi hombro y que sería yo quien decidiría el camino a tomar en esta vasta ciudad. Tampoco pensé que estaríamos tan cerca el uno del otro, que yo velaría sobre su sueño como si fuese su hermana mayor y que él se abandonaría como si fuese mi hermanito.

Pero no por eso la hermana mayor conoce los secretos del menor. Bien sé que sólo me cuenta lo que quiere contarme, y que sólo me muestra lo que me quiere mostrar. Es lo que aprendió en su barrio: hay que mantener la guardia alta, no aflojar, no confiarse. Y si escriben sobre uno, con más razón. ¿Qué es lo que sé en realidad sobre él? Que siempre llega tarde. Que necesita tomar una merienda por la tarde, un té con algo para mojar en él, eso lo tranquiliza. Que tuvo una infancia miserable y violenta en un asentamiento precario, lo cual implica una posesión más inmediata de la realidad, una captación más directa del sabor atroz de todas las cosas (como diría Borges). Que puede ser irascible, incluso violento… Que comenzó a trabajar a los nueve años y estuvo muy apegado a su madre. Que se salvó gracias al tango… Que hizo de él un arte, su arte, porque nadie puede decir cómo se lo debe bailar: usted lo siente, usted lo baila, declaró Petróleo, un ilustre bailarín de tango, cuyo verdadero nombre es Carlos Estévez, a quien Coco vislumbraba en la entrada del hipódromo cuando, de chico, vendía revistas de turf. Que ama a las mujeres y no es lo que se dice fiel… Que comprende del primer vistazo con quién está tratando y si puede serle útil. Que puede mostrarse desinteresado y delicado, aun si no es el príncipe Mischkin, lejos de serlo. Que no sabe quién es el príncipe Mischkin y que eso no es grave… ¿Pero acaso uno llega a conocer alguna vez a alguien? ¿No somos siempre una ficción los unos para los otros, incluso cuando nos creemos muy próximos y nos quedamos dormidos en el asiento trasero de un auto, la cabeza recostada en el hombro del otro? Pienso que debo de estar cansada, yo también, porque les estoy dando vuelta a las cosas que todos sabemos, es decir que nunca se conoce de veras a alguien, aunque sea el héroe de nuestra novela y se haya quedado dormido recostado en nuestro hombro.

Sí, estoy cansada, no hay duda. Porque cuando por fin nos detenemos en mi calle, cuando despierto a Coco Días para decirle que llegamos, que aquí me bajo, cuando le doy un beso en la mejilla, y salgo del auto y cruzo la calle para entrar en mi edificio, no me doy cuenta de que alguien me espera en la puerta, apoyado contra un árbol.

36

—¿Bailarina?

Mi nombre se presta a toda clase de variaciones. He sido Val, Vali, Valery, Balérie… Y ahora Bailarina. Hay una sola persona que me llama así. Y aquí está, a sólo dos metros, apoyado contra la acacia, mirándome de la cabeza a los pies con un aire sorprendido. Hay que decir que con mis ropas lo menos llamativas posible, mis zapatillas sucias y mi cabello revuelto, realmente no me parezco a una bailarina de tango.

—¿Qué haces aquí, Fabián?

—Ya lo estás viendo. Me diste una buena idea la última vez. Pero no sabía que iba a ser tan largo. Hace como una hora que te estoy esperando.

Me acerco a él. Apoyo mi brazo en su cuello como si fuéramos a bailar un tango. Me siento temblar ligeramente como cada vez que lo veo y que lo abrazo.

—¿Qué pasa? —murmura en mi oído.

—Tengo hambre.

Se larga a reír.

—Sos graciosa, Bailarina. ¿Lo sabés?

—Realmente tengo hambre, Fabián. No he comido nada desde esta mañana. ¿Querés venir a comer conmigo?

—Pensaba que íbamos a hacer otra cosa.

Esta vez soy yo la que se larga a reír. No sé si será que el Gauchito Gil ha adivinado mis deseos, pero esto es de lo que tenía ganas para esta noche. ¿Qué más puedo desear? Hay un hombre que me espera ante mi puerta, que ha resultado ser el único con el que tengo ganas de bailar y de hacer el amor; y si lo he entendido bien, es más o menos lo que me acaba de proponer. Por una vez que las cosas sucedan como yo lo deseo y que baste decir "sí"… Así que me voy a asear rápidamente, me voy a poner mi vestido naranja y a cargar los zapatos de tango en mi bolso. Después vamos a ir a comer. Y luego vamos a hacer otra cosa, como bien lo acaba de decir.

—¿Me das cinco minutos para que me prepare? No, diez. Diez, no más.

—Yo voy a ir a tomar una cerveza en la esquina. Hace demasiado calor hoy. Demasiado pesado... Te espero en el bar. Tomate tu tiempo... No te apures...

Quince minutos más tarde –miré la hora– franqueé la puerta del bar de la esquina de mi calle. Fabián está sentado en una mesa cerca de la ventana, dibujando distraídamente en un trozo de papel. Yann también dibuja cada vez que tiene cinco minutos libres, aunque eso debe de ser lo único que esos dos hombres tienen en común. ¿Pero me gustaría, Fabián, si no hubiese bailado con él para empezar? ¿Me gustaría si lo divisara en este modesto bar de barrio, sentado junto a la ventana, con una camisa azul y un viejo pantalón vaquero, dibujando en el dorso de un volante de propaganda?

Me siento en la silla a su lado. Absorto en su dibujo, él no levanta la vista. Su mano libre se desliza por mi cintura como si quisiera asegurarse de que soy yo. Siento que mi piel se estremece bajo la palma de su mano.

—¿Qué querés tomar? –dice, siempre sin volverse hacia mí.

—Lo mismo que tú.

—Pedite algo de comer también. Yo te invito.

—Pensé que podríamos ir a cenar a un restaurante. Y que iba a ser yo quien te invitara.

—No, te invito yo. Por una vez que tengo plata. No es algo que me suceda muy a menudo. Hay que aprovechar. Bailé mucho en este último tiempo.

Recién ahora levanta los ojos hacia mí. Pienso que me gustaría, si lo viera por primera vez. Me gustaría su perfil de hidalgo madrileño, su frente obstinada de siciliano, sus cabellos negros de indio peinados hacia atrás, su encanto de macho argentino. Me gustaría esta manera que tiene él de saber quién es, aunque no tenga nada en los bolsillos, de salir a la calle y de sentirse como un príncipe. Y lo que más me gustaría –y pienso que a todas las mujeres les debe de gustar, si se atreven a confesárselo a sí mismas– es su mirada franca y conquistadora, irónica y juguetona, y –si una se la sostiene el tiempo suficiente– un poco triste.

—¿Entonces te pagan por bailar? ¿La rubia con la que estabas la última vez…?

—Una danesa. Una profesora universitaria. Una mujer muy agradable, muy elegante. No quiere ir a bailar sola. Tiene miedo de que no la inviten.

—¿Y la chica de la cola de caballo?

—Ah, con ella es otra cosa. Es una alumna. Le doy clases de cuando en cuando. Se viene de muy lejos, así que después de la clase la invito a bailar.

—¿Te acuestas con ellas? ¿Con las turistas?

—Me voy a acostar con vos. Si vos querés. Sos una turista, vos también…

—No, yo no soy una turista…

—¿Y qué sos, vos?

Bebo algunos largos tragos de cerveza. Es verdad que está pesado hoy. Y no tengo solamente hambre. También tengo sed. Y de repente tengo ganas de llorar. Debe ser el cansancio, la larga jornada con Coco. Y el hecho de que, en resumidas cuentas, no comprendo para nada a los hombres. Las cosas no son nunca como yo las imagino. No doy nunca en el blanco.

—Bailarina…

—Me llamo Valérie. Valérie Nolò. Soy…

—Sos escritora. Vivís en París. Tenés un hijo…

—¿Cómo lo sabes?

—Me lo dijo Silvio Kantor.

—¿Y ése por qué se mete? ¡Ustedes son todos iguales!

—Escuchame…

—No…

—Sí, escuchame, Bailarina. Yo también tengo hijos. Tengo dos nenas. Tienen siete y ocho años. Su mamá no quiere vivir más conmigo. Mejor dicho: me dejó. Perdí mi trabajo después de la crisis de acá, hace cinco años. Era diseñador industrial. No era nada extraordinario como trabajo, pero se podía vivir. Quería hacer otra cosa, pero no funcionaba. No funcionaba para nada. No soy muy bueno para encontrar trabajo. Tampoco es fácil, en este país, creeme, sobre todo después de los cuarenta años. Así que probé con el tango. Eso siempre me gustó, bailar. Bailo en los casamientos. Bailo cuando no hay bastantes bailarines como la otra tarde en Maipú. Bailo con las danesas… Se pasan mi número entre las amigas. Y después con vos, siempre que puedo. Porque eso me gusta. Me gusta mucho… Me gustó desde el principio, la primera vez. Vos bailás bien. Me gusta mucho cómo te apoyás contra mí. Vos no tenés miedo. Vas para adelante con franqueza. Con el corazón… Debés tener un buen maestro… ¿Por qué te sonreís?

Yo no sonreí. O habrá sido sin querer, de pronto pensando en Coco Días. Tendré que informarle lo que acabo de oír.

—¿Por qué no me contestás? Hace mucho que no hablaba tanto.

Me bebo lo que queda de cerveza. Y me voy a pedir otra mientras estoy aquí. Así por lo menos voy a estar liviana y en la superficie igual que la espuma.

—Espero no haberte esperado en tu puerta durante una hora para que me pongas cara larga, Bailarina. Mirame… ¿Qué pasa? Pero estás llorando…

—No, no…

—Sí…

—Si te digo que no… Es algo que detesto. Detesto a las mujeres que lloran por una nadería.

—Bailarina…

—Hmm…

—Mirame…

—No…

—¿Querés que vayamos a bailar? A El Beso, por ejemplo. ¿Conocés?

Yo querría pedir otra cerveza con mucha espuma, por favor.

—No, tenés razón. Vamos primero a comer, y después a bailar. Me encanta tu vestido. Lo vi en el reflejo de la ventana cuando entraste. Quiero que me vean bailar con la mujer que lleva ese vestido tan lindo. Y no digo nada de sus piernas... Ni de todo lo demás... De eso te voy a hablar después y detalladamente... ¿Querés, Bailarina?

No, creo que no me voy a pedir otra cerveza.

37

Esta vez no me pongo mi flor roja en el pecho. Me visto normalmente, ni de manera invisible como cuando fuimos a su barrio, ni con toda la parafernalia como para el desayuno familiar: una pollera azul con botones de nácar, una remera, mis sandalias verde manzana. Y mi cuaderno color arena en el bolso, en el cual (el cuaderno, en las últimas páginas en blanco) he escrito tres cifras antes de bajar a la calle: 840.

—¡Caramba, Balérie!

—¿Qué?

—Estás muy linda hoy.

Se ve que no estoy muy acostumbrada a los cumplidos. En lugar de dar un grito de alegría o de saltarle a su cuello, me pregunto si el humor galante del héroe de mi novela, sentado a mi lado en el taxi como a menudo en estos últimos tiempos, no se debe más bien a que nuestra historia toca a su fin y a que de aquí a unos días tendremos que regresar a París. O más sencillamente porque al fin vamos a ir a ver a Ocho Cuarenta y porque tal vez sea la última vez que tomemos un taxi juntos.

—Ocho me preguntó si eras linda.

—¿De veras? ¿Y tú qué le respondiste?

—La verdad… Yo siempre digo la verdad –dice él, cruzando los dos índices sobre la boca.

—¿A sí? Repítelo…

Hoy no tiene ganas de bromear. Ni ganas de parlotear tampoco, ni de observar que el tiempo está lindo, que es un día espléndido. Todo se ha lavado, regenerado, como vuelto a nacer después de la gran tormenta de esta noche. Una tormenta terrible, que nos empapó hasta los huesos, a Fabián y a mí, y nos impidió ir a bailar, pero no hacer el amor, ni hablar, ni terminar

por quedarnos dormidos el uno contra el otro como si no fuésemos a separarnos más.

Coco parece cansado. No debe de haber dormido mucho. Con-
templa por la ventanilla de su lado los barrios del centro y el sur de
la ciudad. Once y Constitución, mucho más pobres y degradados
que el mío.

—Está escondido en un hotel. La vida no le es fácil en este
momento, con la policía en los talones. Tuve que insistir para que
aceptara vernos.

Nos bajamos frente a un hotel modesto, por no decir miserable.
Coco me pide que espere en la calle. Al cabo de unos minutos, me
hace señas de entrar. A menudo tengo el nerviosismo o el miedo o
la aprehensión de que las cosas no salgan bien, de que no salgan
como yo las he imaginado. Sin embargo no me he imaginado nada
en especial. O más bien sí, tengo miedo de que esto no sea especial,
justamente, de que sea algo banal y ordinario y sin interés, como
este hotel. Después de todo el tiempo que hace que espero este
encuentro…

—Es él –dice Coco, con una sonrisa que le hace brillar los ojos
como cuando era un chico.

Enseguida comprendo que no tenía porqué preocuparme. 840
es todo menos banal. Me mira fijamente con un aire divertido y
desenvuelto como si acabara de enterarse de cómo lo llaman y no
tuviese nada contra ese nombre, todo lo contrario. Lleva una
remera blanca y un pantalón vaquero. Es más esbelto que su amigo,
flaco, huesudo, con un rostro anguloso, masculino, bastante duro,
insolente incluso, que sin embargo contradice la mirada cansada y
dulce. Respira con dificultad. "El cigarrillo es mi único vicio", me
dirá más tarde.

—Vamos a tomar algo, ¿no? –murmura con una voz ronca de
fumador sin pausa.

Nos instalamos en la mesa de un cafetín de la esquina de Brasil
y Santiago del Estero, frecuentado por las prostitutas paraguayas
medio desnudas que trabajan en el barrio. Debería pellizcarme,
dejar caer un vaso o alguna otra cosa para estar segura de que no

estoy soñando. ¿Realmente estoy sentada frente a aquél a quien he llamado Ocho, Ocho Cuarenta o simplemente 840, el héroe del héroe de mi novela y por lo tanto forzosamente también un poco el mío? Este hombre sentado al lado de Coco Días y frente a mí, en remera y vaquero, todavía bastante apuesto para sus sesenta y dos años, ¿realmente es perseguido por toda la policía de Buenos Aires que no consigue acorralarlo y mucho menos demostrar que haya nada ilegal de su parte?

Nos traen dos cafés y un té. Saco mi cuaderno. Ya casi no queda espacio en él.

—¿Así que escribís una biografía de Coquito, mamita?

Lo dice con tanta ironía y tanta malicia que no siento ninguna necesidad de rectificarlo.

—¿Qué querés saber, mamita?

Mira a su alrededor como si quisiera asegurarse de que todo está bien.

—El tango… La droga, tu vida de todos los días… ¿Puedes dormir bien?

Suelta una risita que sisea en sus pulmones enfermos.

—No, duermo muy mal. Les pago a muchachas para que duerman conmigo. No se me para, o bastante blandita… Pero no me gusta dormir solo. Además, ahora ni siquiera puedo dormir en casa. No me digas que escribís todo lo que digo.

Coco le explica que siempre hago eso: escribo más o menos todo lo que uno dice. Él está habituado, ya nos conocemos desde hace tiempo, nos vemos una vez por semana para hablar y para bailar. No es del todo cierto. Yo no escribo todo lo que se dice, sino todo lo que me interesa. La mirada de Ocho, por ejemplo. Me gusta mucho cómo me mira. Así que abro un paréntesis en mi página: si un día alguien se aplica a interesarse en mí de esta manera –poco probable pero nunca se sabe– intentaré mirarlo con esta misma disponibilidad e ironía que quieren decir que podemos hablar, desde luego, siempre podemos hablar, pero no va a ser por eso que él vaya a saber algo sobre mí. Cierro paréntesis, vuelvo a 840. El siseo en sus pulmones. Sus frases breves. Durante mucho tiempo trató de hacer como todo el mundo. Trabajó catorce años en la misma fábrica de vidrio que Coco. Pero un día se hartó. Emprendió una vida diferente. Empezó por hacer de levantador de apuestas en los hipódromos. Ilegal, por supuesto. Tenía sus datos, la cosa andaba bien, incluso muy bien. Después abrió un burdel. Sí, eso, mamita, un boliche, un burdel. Tenía once chicas trabajando para él. Coco lo sabe muy bien, varias veces lo vino a ver ahí. Y después se metió con la cocaína. Conoció a alguien que le explicó cómo hacer. Se convirtió en un mayorista. Es lo que paga mejor. No por eso la consume, a él eso no le va, no. A él déjenle el cigarrillo. Abro un nuevo paréntesis: es un rufián que no es ingenuo, él sabe que los dados están cargados, que la policía es corrupta, y no hablemos de los políticos, todos ladrones. Es lo que me ha explicado Coco en la Porte Dorée. También me ha dicho que Ocho ayudaba a todo el mundo en el barrio. Que era amado, respetado, como siempre por otra parte, cierro paréntesis. En cuanto al tango, ésa es otra historia. Eso siempre le gustó. Empezó a bailar seriamente hacia los quince años. Iba a un bar los miércoles a la tarde, para repetir las figuras con los otros bailarines. Para poder hacerlas el sábado en el baile. Los hombres se entrenaban siempre entre ellos. Porque si no bailaba el tango, uno no era nadie, no hay que olvidarse de eso. Coco zafó gracias al tango, justamente. Él mostró que eso era posible. Dio el ejemplo, el chiquito éste. Después vinieron los otros. Había buenos bailarines en el barrio. Muchos buenos bailarines que se volvieron muy conocidos. Pero no eran de la villa. De la villa, sólo ellos eran. La villa, era la miseria, mamita, es eso, la miseria. Eso hay que saberlo. Abro un nuevo paréntesis: puntúa sus frases con *mamita*. Le voy a preguntar a Coco qué quiere decir eso exactamente.

—¿Por qué me mirás? ¿Por qué no escribís más, mamita?

—No tengo más espacio en mi cuaderno.

—¿No tenés más espacio? –repite Coco.

—No, se acabó, está lleno…

—Mirá que justo, porque yo no me puedo quedar más. Estoy jodido de los pulmones… Tendría que ver a un médico.

—Sí, tendrías que hacerlo... –murmura Coco.

—Ya te dije, mamita, y espero que lo hayas escrito: el cigarrillo es mi único vicio. ¿Vamos?

Se levanta y hace una seña de que va a pagar más tarde. Lo acompañamos hasta el hotel. Ocho tal vez tiene un aire apuesto con su vaquero y su remera blanca, pero le cuesta caminar y respirar.

—Tengo que preguntarte una cosa más –le digo en la puerta del hotel.

—Sí, mamita...

Decididamente, me gusta mucho su mirada, cansada, turbia, irónica, pero no indiferente.

—¿Cómo era tu tango?

Se acerca a mí como si me fuese a decir un secreto.

—¿Mi tango? ¿Qué sé yo? Ni bueno ni malo. El mío... –dice entre dos siseos.

—¿Te puedo preguntar otra cosa más?

—La última, mamita.

—Sí, la última.

Me le acerco un poco más. Está cansado, eso se nota, ya tiene bastante, no puede más.

—¿Me puedes tomar entre tus brazos, como si fuésemos a bailar un tango, los dos?

No me sonríe; su mirada se ve un poco más cansada. Desliza su mano en mi espalda, yo apoyo mi cabeza contra la suya. Nos quedamos un largo momento así, inmóviles, silenciosos, si no tenemos en cuenta ese siseo enervante y triste del aire que no consigue salir de sus pulmones. Cuando vuelvo a abrir los ojos, veo la cara del recepcionista del hotel que se pregunta que nos pasa.

—¿Por qué le pediste que te abrazara? –dice el héroe de mi novela cuando estamos otra vez en la calle.

Caminamos lado a lado por este barrio en el que me daría miedo aventurarme sola. Sin embargo no tengo ganas de tomar un taxi enseguida. Tampoco tengo ganas de hablar. Alrededor de nosotros, y como si se burlara, sigue siendo el mismo día espléndido.

—¿Sabés lo que me dijo cuando nos fuimos? ¿Cuando vos saliste del hotel y yo me quedé un momento solo con él?

—No… Dime.

—Me dijo que no lo llamara más. Me dijo que me olvidara de él.

38

Pienso en Fabián mientras camino. No pienso en lo que le voy a contar cuando lo vea, esta noche. Nos tenemos que encontrar en El Beso, adonde quisimos ir antes de que se desatara la tormenta sobre la plaza de la Recoleta, que por otra parte no estoy dispuesta a olvidar. No estoy dispuesta a olvidar el momento en que sin decir palabra, sin siquiera mirarnos, simplemente dándonos la mano, decidimos no correr –aunque correr o no correr venía a ser lo mismo, puesto que el cielo se desmoronó de un solo golpe–, no guarecernos bajo el árbol gigante que hay frente a la iglesia, sino atravesar el parque, dejarnos golpear por la lluvia, no, dejarnos bañar, lavar, limpiar incluso bajo la piel. De pronto me digo que tal vez sea esto el amor, caminar por la larga calle Moreno, como lo estoy haciendo ahora, y tener ganas de que ya sea esta noche para poder contarle a alguien –a Fabián– lo que pasó durante el día.

Mi encuentro con 840, por ejemplo. No es algo que me suceda todos los días conocer a un cabecilla de la droga prófugo, buscado por la policía de la provincia de Buenos Aires, aún cuando no tienen nada contra él, ninguna prueba, salvo el hecho de que no está asociado con ellos. ¿Pero acaso sé lo que quiere decir, 840, en lunfardo e incluso en el tango? ¿Acaso sé que es un artículo del código penal de la ciudad de Buenos Aires por el que la policía designa a los proxenetas, es decir a los que ella no controla, que no trabajan para ella? ¿Y que en el tango se llama así a los hombres muy machos por los que las mujeres están dispuestas a hacer cualquier cosa? Claro que lo sé. Comprendo perfectamente porqué Coco eligió ese nombre en clave que se ha vuelto tan familiar para mí. 840 es mi personaje más secreto, opaco, marginal, moralmente objetable y fuera de la ley. Solo, también, y cercado, y desdichado, supongo… Y seguirá siendo siempre Ocho para mí, aún cuando conozco su verdadero nombre y apellido. Tendré que detenerme aquí, no hablar más de él, no ponerlo en peligro inútilmente. Hay una frase suya que puedo citar sin problema. Tal vez un día, si vuelvo a ver a Natacha Pernetty, y si ella tiene ganas de retomar nuestros jueguitos de rivalidad literaria, le repetiré lo que dice 840 a propósito de su modo de bailar el tango: ni bien ni mal, pero lo único que importa a sus ojos: que es el suyo.

Le puedo hablar de otra persona con la que no corro ningún riesgo, es lo menos que puedo decir; ni siquiera existe. Sí, existe para mí. Por lo demás, no dejo de pensar en ella, sobre todo desde que estoy en Buenos Aires. La veo por todas partes. Hay muchas mujeres como ella que vienen a bailar en Buenos Aires; Fabián debe de saber de lo que hablo. Las famosas turistas, como diría mi chofer de taxi esloveno. Yo podría hacer un retrato hablado de una de ellas: europea, cincuenta años, culta, inteligente, elegante, que se gana bien la vida… No frustrada, pero tampoco verdaderamente satisfecha… Y sobre todo conciente de que ya no hay tiempo que perder. Si uno quiere algo en esta vida, hay que tomarlo, hay que ir hacia ello… Es lo que se debe decir la danesa, la profesora universitaria de Copenhague con la que él bailó la última vez en Niño Bien. Aquella en la que pienso se llama Agathe, Agathe Abakovitc, la ex-mujer de un famoso artista contemporáneo, madre de dos hijos adultos, especialista en Manet de quien se pueden ver dos cuadros en el Museo de Bellas Artes, en Buenos Aires. Pero también en Velázquez, su pintor preferido. O mejor aún: especialista en un único cuadro de Velázquez, una obra maestra que he contemplado mucho, yo también, forzosamente, puesto que Agathe es la heroína de mi *Obra maestra*, una novela que yo había comenzado cuando conocí a Coco Días. Dejé la novela, pero no a Agathe. Ella siempre está ahí. La veo por todas partes. Se ha convertido en mi sombra, en mi hermana mayor. Agathe es una mujer que comienza su verdadera vida amorosa a los cincuenta años (cuarenta y nueve, para ser precisos), el tercer día de su estadía en Buenos Aires, la noche misma en que se instala en el departamento que acaba de alquilar. Hace calor afuera —40° a la sombra— y un frío glacial adentro. Es el botón del aire acondicionado, que no quiere volver a su posición inicial, ella ya lo ha intentado todo. Al cabo de cierto tiempo de no saber qué hacer aparte de ponerse pulóveres, se va a tomar algo a la esquina de la avenida Libertador. Cuando Carlos se le acerca —el más joven y más bello de los mozos del café Che, su primer amante en Buenos Aires, el tercer, no el segundo hombre en su vida sin contar a su marido— cuando Carlos se le acerca entonces y le lanza un "qué tal...", mirándola directo a los ojos, ella responde, repentinamente cansada y un poco desesperada, mirándolo directo a los ojos, ella también, que tiene problemas con el aire acondicionado. También podría decir que está agotada, que no conoce para nada esta ciudad, y que además está por tener la regla, al menos eso espera, y además está sola, por primera vez en su vida, realmente sola. Él le sonríe y le pregunta qué quiere tomar; en cuanto al aire acondicionado, después lo verán, él no trabaja hasta muy tarde hoy, si ella quiere, él puede ir a echarle una mirada. Ella le sonríe a su vez, con generosidad, tanto más cuanto no ha entendido del todo; su español es muy rudimentario todavía. Desde luego, ni por un solo segundo se imagina, mientras bebe su primera Quilmes mirando ese café bajo las arcadas, la terraza, la anchísima avenida Libertador, los peatones y a él, Carlos, que ese muchacho alto de piel mate y ojos asombrosamente claros —su padre es chileno, su madre austríaca— la va a acompañar, más tarde, cuando termine su horario, hasta su edificio, que va a subir con ella, va a exclamar que realmente hace frío en su departamento, y la va a abrazar supuestamente para calentarla, la va a besar para calentarse los dos, y los dos se van a desvestir como si se conocieran desde hace mucho tiempo, y a hacer el amor como si se conocieran desde hace mucho tiempo, algo de lo que no hay, quiero decir con mucha confianza, con insolencia y naturalidad, confianza, insolencia y naturalidad para él, Agathe está pasmada, alucinada, estupefacta, no le ocurre muy a menudo este tipo de cosas, o mejor decir que no le ocurren nunca.

En cuanto a mí, Val, Valérie, Balérie y ahora Bailarina, como dice Fabián, me gustaría que ya atardeciera. Querría que fuese esta noche, que ya le hubiera dado de comer a Robert, que ya me hubiese dado una ducha, puesto mi vestido naranja, echado mano a mis zapatos de tango y llamado a mi chofer de taxi esloveno para que me lleve hacia él.

39

—¿No te sentás atrás, hoy?

Me mira, repentinamente desconcertado por este cambio de reglas. No, hoy no me siento atrás. Quiero sentarme al lado de él para verlo de cerca. Parece cansado esta noche. Tiene los ojos rojos, los hombros pesados y las manos que descansan sobre el volante como si estuviesen sin vida.

—¿Estás bien, Rok?

—Más o menos… En fin, más menos que más.

—¿Qué pasa? ¿Trabajas demasiado, es eso?

—Tengo que trabajar demasiado si quiero zafar. Tengo que pagar el auto. Y además…

—¿Y además qué?

Soy yo la que hace preguntas, hoy. Cómo me gustaría tener un chofer de taxi como él, en París. Pero es verdad que en París yo jamás tomo un taxi. De pronto pienso que sólo me quedan tres días en Buenos Aires: dentro de tres días, voy a tomar el avión con Coco Días (y Robert, se entiende), nos vamos los tres en el mismo vuelo.

—¿Dime, Rok?

Él me mira sin verme.

—Vi un accidente, esta tarde temprano. Bueno, no, no era un accidente. Era un suicidio. Un hombre que se tiró debajo de un colectivo. Un tipo joven, en fin, como vos y yo. Prácticamente sucedió delante de mis ojos. No me lo puedo olvidar, sobre todo porque yo veía lo que él iba a hacer. Yo veía que él se iba a tirar debajo del ómnibus, imaginate… Yo sé que eso pasa todos los días. Pero mientras uno no lo ve no lo cree realmente. ¿Vamos?

Suela el aire largamente, enciende el motor.

—¿No pones el contador?

—¿El reloj? No, esta noche no. El Beso, es acá nomás. Estoy contento de verte. Parecés…

—¿Enamorada?

—¿Enamorada?

Lo he dicho para que cambiemos de tema. Aún si no es del todo falso. Hace mucho tiempo que no me sucedía sentirme tan liviana, alegre, indiferente (cuando uno está enamorado, es indiferente, forzosamente), con estas repentinas ganas de cantar, de escuchar un concierto para clave de Bach y bailar el tango con esa música, como con Coco Días en la Porte Dorée. En todo casi querría que ya estuviésemos ante la puerta de El Beso, subir la escalera, mirar a mi alrededor y vislumbrarlo, a él, la única persona que me importa esta noche.

Cuando subo la escalera y miro en el salón, él todavía no está. Están Silvio, Rubén, Alberto, Héctor, los dos Jorges, el caballero triste de la Pampa y el otro, el elegante, el indolente que me hace pensar en el hombre de las cuatro iniciales, con humor negro y sentido festivo además. Está Bernardino, mi primer maestro. Y el gran Jim, Jim el Pelirrojo. Así que voy tranquilamente a sentarme, a pedirme algo, agua mineral para empezar, y voy a bailar con Bernardino, si él quiere. Y después con Silvio, y con el primer Jorge, antes de que esté demasiado borracho. Porque después, cuando llegue Fabián, no voy a bailar con nadie más que él (y beberé otra cosa que agua mineral). Yo sé que eso no se hace; no se baila con una sola persona, un baile de tango, una milonga se comparte. Pero me quedan tres días aquí, tres tardes, tres noches, así que déjenmelo, a ese hombre que está por venir de un momento a otro, se va a sentar enfrente, del lado de los bailarines, pero no va a mirar a nadie más que a mí y yo no voy a mirar a nadie más que a él.

Mientras tanto, voy a bailar con Bernardino, mi primer maestro, el que me enseñó cómo abrazar a un hombre diciendo que el tango era eso, el abrazo. Y después con Silvio Kantor que ya no necesita hablarme de la miseria ni de la injusticia ni de la desesperación, yo las he visto, ahora sé lo que son. Y después con Rubén el magnífico, el rey de la milonga. Y después con el primer Jorge… Y hasta con el segundo, todavía es temprano para él, pero quiere, sí, él quiere. Y después con Jim el Pelirrojo que está contento de volver a verme, podríamos hacer como la última vez, dice, podríamos ir juntos a Niño Bien. ¿Qué pasa?, pregunta. Te ves rara, se diría que estás triste.

Tiene razón. No estoy saltando de alegría. Es la una y media de la mañana, Fabián no ha llegado y sin duda no va a venir. No entiendo. Debe de haber pasado algo. Un problema con sus hijas, un paro de transporte público, algún impedimento… Ha perdido las llaves de su departamento, su vecino se ha sentido mal, se quedó dormido en el subte… No se ha olvidado de mí, ni lo pienso, no, nadie me va a convencer de eso. No se puede olvidar una noche como la que pasamos juntos. No se puede olvidar la tormenta, la enorme, la increíble, la inimaginable tormenta (hablo por mí, yo no estoy acostumbrada a los árboles que aúllan, a los rayos que zigzaguean como locos, a las trombas de agua que se abaten desde el cielo como arrojadas con un balde). No se puede olvidar de nuestras ropas chorreando agua, era algo que ni te cuento… Ni el regreso a mi casa… Ni el modo en que nos desvestimos, bastante extraordinario, hay que decirlo… Y menos aún el modo en que hicimos el amor, de lo que no hay, extraordinario, es decir flexible, líquido, que se deslizaba y derramaba en la confusión de los fluidos… Ni el sueño, la dichosa nada, ni la vuelta al amor, después, ni las compras por la mañana… Debe de haberle sucedido algo, no sé… Un accidente… Un accidente como ése del que me habló mi chofer de taxi esloveno (no, no era un accidente, ha dicho, era un ataque de desesperación). Entonces Jim el Pelirrojo tiene razón, estoy triste. Miro a través de una cortina de lágrimas que hacen un esfuerzo sobrehumano por no derramarse. Y ahora sí quiero tomar un taxi con él e ir a bailar a Niño Bien, tanto más cuanto Coco Días me ha dicho que iba a pasar por allí más tarde, porque los buenos bailarines llegan siempre tarde, en medio de la noche. Así al menos voy a pensar en otra cosa —en el héroe de mi novela— y no estaré sola el resto de la noche.

Cuando Jim y yo llegamos a lo alto de la escalera de Niño Bien, nos ubican en la misma mesa que la última vez. Pedimos el mismo champagne malo, una botella, resueltamente, mientras estemos aquí. Jim el Pelirrojo está encantado: no le gusta estar solo por la noche, y otra vez se puede expresar normalmente. Coco llega diez minutos más tarde, con fanfarria como de costumbre, no, más todavía. Luis, el organizador de la milonga, toma el micrófono para anunciar su llegada: el gran Coco Días que vive y enseña en París, pero que baila en el mundo entero, está de vuelta, en su casa, en Buenos Aires… El salón aplaude, Coco, en la gloria, se sienta a una mesa con otras celebridades locales (no me va a decir después que no le encanta, esto, las luces y los aplausos, esto es precisamente lo que él adora). Entonces echa una mirada a su alrededor para ver con quién puede bailar delante de toda esa gente que lo mira. Francesita se volvió a París con el hijo de los dos, así que él puede elegir. Me sonríe de lejos, no voy a ser yo, al menos no la primera; nunca está seguro de mí, todavía no se ha olvidado de esa tarde en París en que me llevó consigo para hacer una demostración y yo me equivoqué en todo, en fin, casi todo; digamos que no estuve a la altura, dicho de otro modo no fui Cremilda, ni Pampita, ni la Morocha y mucho menos la pequeña Francesita. Pero esta noche y ciertamente por primera vez, no tengo ninguna gana de ser Cremilda, Pampita ni la Morocha…

Cuando más tarde, para su segunda serie, me reúno con él en la pista y siento todas las miradas sobre nosotros, también es la primera vez que no tengo miedo de bailar con Coco Días. Podría hasta decir que me da lo mismo: Coco Días o cualquiera, de todos modos no es él a quien espero, y a quien ya no espero, el único al que yo querría abrazar esta noche.

—¿Qué te pasa, Balérie? ¿No me digas que estás triste? ¿Triste como este tango?

Trato de sonreír, pero no lo consigo. Pienso que es eso, tiene razón, estoy triste. Y mis lágrimas siguen haciendo un esfuerzo sobrehumano por no derramarse.

40

—¿Estás segura de que está todo en tu cuaderno? ¿De que no te olvidaste de nada? El perro Frenando, por ejemplo.

—¿Cuál perro?

—Uno de esos perros vagabundos de los que te hablé. Salvo que Frenando era mucho más inteligente que los otros. Y un gran conocedor del tango además.

—¿Qué estás diciendo?

—Todos los cantores de tango le tenían miedo. Cuando desafinaban, él se ponía a ladrar. Si no, escuchaba tranquilamente, contento, muy contento. Te lo juro, Balérie, es la verdad. Lo llamábamos Fernando.

—No me acuerdo de él.

—¿Y de Nene Peludo?

—¿Y ése quién es?

—Un cantor. Un cantor de nuestro barrio que cantaba mejor cuando estaba borracho. Entonces nosotros, los chicos del barrio, hacíamos una colecta para comprarle vino. Para que cantara para nosotros. Un personaje divino, ese Nene.

—Tampoco me acuerdo. Pero debe de estar en mi cuaderno.

—Cuando bailo, yo pongo todo eso en el tango, ¿entendés, Balérie? Es mi vida.

Miro por la ventanilla. Buenos Aires se desliza ante mis ojos a toda velocidad. Vamos camino al aeropuerto; es sin lugar a ninguna duda la última vez que tomamos un taxi juntos. Y ya entendí lo que acaba de decir. Tiene razón: la cuestión no es saber cuál es el sentido de esta vida sino lo que hacemos con ella. Podemos bailar su música, como Coco Días. Es lo que me trata de decir desde nuestra primera cita en la Porte Dorée.

—¿No dices nada más, Balérie?

—Te escucho… Pienso en lo que dices. Sin duda me he olvidado de un montón de cosas, Coco.

Se vuelve hacia mí. Tiene ese brillo de desafío en los ojos, que ya empiezo a reconocer al primer vistazo. Me va a preguntar si no he olvidado subrayar que, ya adolescente, era muy solicitado como bailarín. A todas partes donde iba, era esperado y aclamado. O bien querría saber si estoy verdaderamente segura de no incluir fotos en el libro. ¿Ni siquiera una? Una en la que está bailando con Francesita. O mejor todavía: ésa en la que está con su madre, en su barrio, ella de pie con los vecinos, y él jugando a sus pies.

—Balérie…

—¿Sí?

—¿Cómo se va llamar tu libro?

Me largo a reír. No me esperaba esta pregunta; por otra parte todavía no había reflexionado en eso.

—No sé… *La puerta dorada*, tal vez.

—¿Por qué?

—Porque al volver a París seguramente tendré ganas de volver ahí. Un tango bien bailado, y el día cambia de rumbo, ¿verdad? Pero también porque lo puedo escribir tanto con mayúscula como con minúscula…

—No entiendo…

—Estamos llegando, Coco.

El taxi se detiene a algunos metros de la puerta de Partidas. Salimos cada uno por su lado del coche. Recién ahora el héroe de mi novela se da cuenta de que hay algo que no está bien.

—¿Dónde están tus valijas, Balérie?

—Las dejé allá, en Azcuénaga y Juncal. Con Robert, que me espera con impaciencia.

—¿Qué Robert?

—Me voy a quedar un poco más en Buenos Aires, Coco.

—¿Te vas a quedar? ¿Por qué?

—Es demasiado largo de explicar.

No es verdad. Es muy corto y muy simple: quiero volver a ver a alguien. Tan sólo quiero saber que está bien y que la vida continúa.

Y tomar toda la dulzura que tengo en mí para bailar el último tango con él. Y después de eso, se me podrá apartar de él, podré preparar mi valija, tomar a mi gato y partir, yo también.

—Tienes que irte.

—¿Y por qué viniste conmigo, entonces?

—Para acompañarte. Me gusta andar en taxi contigo. ¿No lo sabías? Apúrate, vas a llegar tarde otra vez.

—Sí, tenés razón. Mejor que me apure... *Au revoir*, Balérie.

Empuja su carrito con la montaña de valijas. Al pasar por la puerta de vidrio, se da vuelta por un instante, luego se va haciendo cada vez más pequeño para desaparecer allá a lo lejos. Finalmente, siempre me toca a mí ser la que lo mira irse. Es natural: él es el héroe de mi novela.

ÍNDICE

Nota del traductor 7

1 11
2 16
3 21
4 26
5 30
6 35
7 40
8 44
9 49
10 54
11 58
12 63
13 69
14 75
15 79
16 83
17 88
18 91
19 96
20 99
21 104
22 106
23 110
24 114

25 119
26 123
27 127
28 132
29 136
30 140
31 144
32 148
33 150
34 156
35 162
36 166
37 171
38 177
39 181
40 185

Este libro se terminó de imprimir, en el mes de diciembre de 2009,
en Mitre & Salvay, Heredia 2952, Sarandí, Provincia de Buenos Aires,
República Argentina.